MÉTODO DE ESPAÑOL PARA JÓVENES

Nivel inicial

LIBRO DEL ALUMNO

Equipo club prisma

1.ª edición: 2007
2.ª impresión: 2008
3.ª impresión: 2009
4.ª impresión: 2010
5.ª impresión: 2011
6.ª impresión: 2012

© **Autores de este nivel:** Isabel Bueso, Paula Cerdeira, María José Gelabert, Raquel Gómez, Mar Menéndez, Carlos Oliva, Isabel Pardo, Ana Romero, María Ruiz de Gauna y Ruth Vázquez
Adaptación de este nivel: Paula Cerdeira y Ana Romero

Depósito legal: M-20926-2012
ISBN: 978-84-9848-010-8
Impreso en España
Printed in Spain

Coordinación pedagógica:
María José Gelabert

Coordinación editorial:
Mar Menéndez

Ilustraciones:
Carlos Casado

Diseño de cubierta:
Juanjo López

Diseño y maquetación:
Juanjo López

Fotografías:
Archivo Edinumen y Manuel García García

Impresión:
Gráficas Rógar. Madrid

Editorial Edinumen
José Celestino Mutis, 4. 28028 Madrid
Teléfono: 91 308 51 42
Fax: 91 319 93 09
e-mail: edinumen@edinumen.es
www.edinumen.es

Extensión digital de ***Club Prisma A1***: consulta nuestra **ELEteca**, en la que puedes encontrar, con descarga gratuita, materiales que complementan este curso.

La Extensión digital para el **alumno** contiene los siguientes materiales:

- Prácticas interactivas
- Test de repaso

La Extensión digital para el **profesor** contiene los siguientes materiales:

- Materiales de cultura
- Fichas fotocopiables
- Transparencias

En el futuro, podrás encontrar nuevas actividades. **Visita la eleteca**

Introducción

¿Qué es CLUB PRISMA?

CLUB PRISMA es un método de español para jóvenes, estructurado en 4 niveles: Inicial (A1), Elemental (A2), Intermedio (A2-B1), Intermedio alto (B1), según los requerimientos del *Marco común europeo de referencia* (MCER) y del *Plan curricular del Instituto Cervantes. Niveles de referencia para el español.*

¿Cómo es CLUB PRISMA?

CLUB PRISMA Inicial A1 del alumno tiene diez unidades donde se tratan temas de actualidad y adecuados a tus intereses: música, deportes, moda, amistades, Internet...

Las actividades que se plantean están pensadas para desarrollar la interacción y la comunicación con tus compañeros prestando especial importancia al trabajo en parejas y grupos. En CLUB PRISMA son muy importantes las tareas de investigación a través de la red que hay en el apartado de ***Tareas con Internet***. Son tareas (relacionadas con los contenidos de cada unidad) en las que tendrás que buscar información específica en páginas web en español y presentar los resultados obtenidos al grupo de compañeros de clase.

En cada unidad vas a trabajar:

- **La comunicación**, a través de textos orales y escritos para desarrollar la comprensión y la expresión.
- **La conversación e interacción**, hablando en español con tus compañeros.
- **La gramática**, deduciendo reglas, aprendiendo el sistema y consolidando las estructuras.
- **La interculturalidad**, conociendo modos y costumbres del mundo hispano.
- **La autoevaluación**, para saber lo que has aprendido y cómo lo has conseguido.

Además, en la Extensión digital de **CLUB PRISMA** (ver código de acceso en página 2) podrás encontrar actividades que amplían y complementan este método.

En **CLUB PRISMA** el **protagonista** del aprendizaje **eres tú**. Podrás controlar tus progresos, tus dificultades, tus aciertos y tus errores a través de un documento: **el Portfolio**.

¿Qué es el Portfolio?

El Portfolio es un documento personal (promovido por el Consejo de Europa) en el que podrás anotar tus experiencias de aprendizaje del español. Consta de tres partes:

1. **Pasaporte de Lenguas. Datos personales**

   Sirve para:
   - autoevaluar tu aprendizaje y tu manera de aprender;
   - añadir información sobre tus diplomas, cursos a los que has asistido o contactos relacionados con el ámbito hispanohablante.

2. **Biografía Lingüística**

   CLUB PRISMA te proporciona el apartado ***Progresando*** al final de cada unidad. Te servirá para:
   - aprender a autoevaluar tus conocimientos y habilidades lingüísticas;
   - aprender a identificar tus necesidades de comunicación y a formular tus objetivos de aprendizaje;
   - conocer mejor y respetar la lengua y la cultura hispanas.

3. **Dossier**

   El dossier sirve para documentar tu progreso en español. En él incluirás:
   - escritos que has realizado dentro o fuera de clase: redacciones, trabajos, exámenes, etc.;
   - grabaciones audio y vídeo de conversaciones y exposiciones orales.

   En **CLUB PRISMA** indicamos las actividades que se pueden añadir al dossier, marcadas con 

Nota informativa: En esta edición se han actualizado los enlaces de algunas páginas web de la sección "Tareas con Internet". Esta actualización se llevará a cabo periódicamente, pudiéndose acceder a las páginas modificadas a través de la **ELEteca** (www.edinumen.es/eleteca) o en sucesivas ediciones.

¿Qué voy a encontrar en cada unidad de CLUB PRISMA?

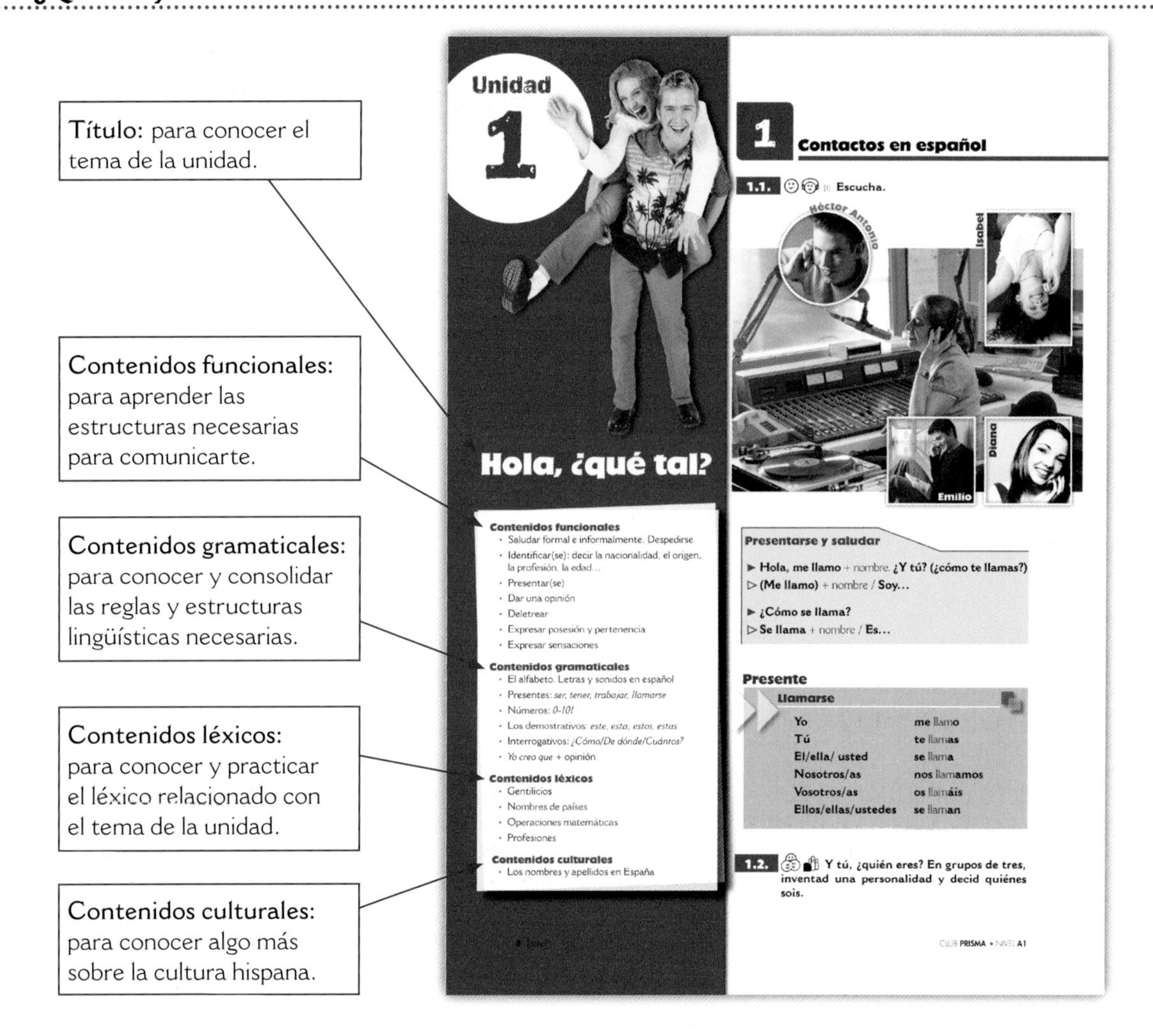

Título: para conocer el tema de la unidad.

Contenidos funcionales: para aprender las estructuras necesarias para comunicarte.

Contenidos gramaticales: para conocer y consolidar las reglas y estructuras lingüísticas necesarias.

Contenidos léxicos: para conocer y practicar el léxico relacionado con el tema de la unidad.

Contenidos culturales: para conocer algo más sobre la cultura hispana.

Unidad 1

Hola, ¿qué tal?

Contenidos funcionales
- Saludar formal e informalmente. Despedirse
- Identificar(se): decir la nacionalidad, el origen, la profesión, la edad...
- Presentar(se)
- Dar una opinión
- Deletrear
- Expresar posesión y pertenencia
- Expresar sensaciones

Contenidos gramaticales
- El alfabeto. Letras y sonidos en español
- Presentes: *ser, tener, trabajar, llamarse*
- Números: *0-10!*
- Los demostrativos: *este, esta, estos, estas*
- Interrogativos: *¿Cómo/De dónde/Cuántos?*
- *Yo creo que* + opinión

Contenidos léxicos
- Gentilicios
- Nombres de países
- Operaciones matemáticas
- Profesiones

Contenidos culturales
- Los nombres y apellidos en España

1 Contactos en español

1.1. [1] Escucha.

Presentarse y saludar

► Hola, me llamo + nombre. ¿Y tú? (¿cómo te llamas?)
▷ (Me llamo) + nombre / Soy...

► ¿Cómo se llama?
▷ Se llama + nombre / Es...

Presente

Llamarse

Yo	me llamo
Tú	te llamas
El/ella/ usted	se llama
Nosotros/as	nos llamamos
Vosotros/as	os llamáis
Ellos/ellas/ustedes	se llaman

1.2. Y tú, ¿quién eres? En grupos de tres, inventad una personalidad y decid quiénes sois.

CLUB PRISMA • NIVEL A1

Interpreta estos símbolos:

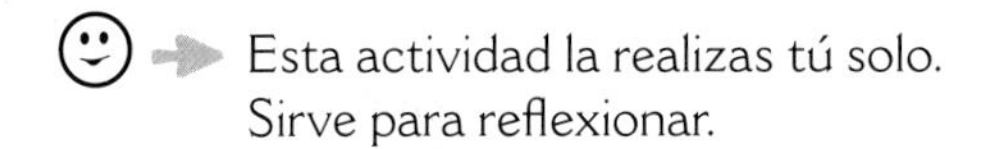

Esta actividad la realizas tú solo. Sirve para reflexionar.

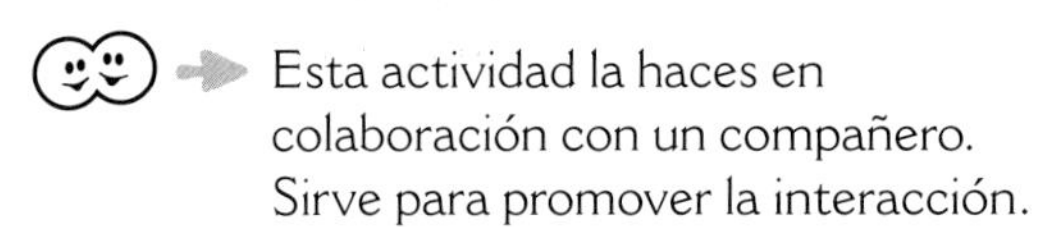

Esta actividad la haces en colaboración con un compañero. Sirve para promover la interacción.

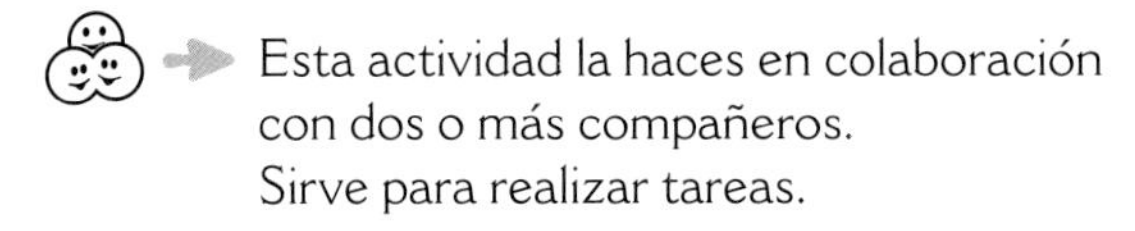

Esta actividad la haces en colaboración con dos o más compañeros. Sirve para realizar tareas.

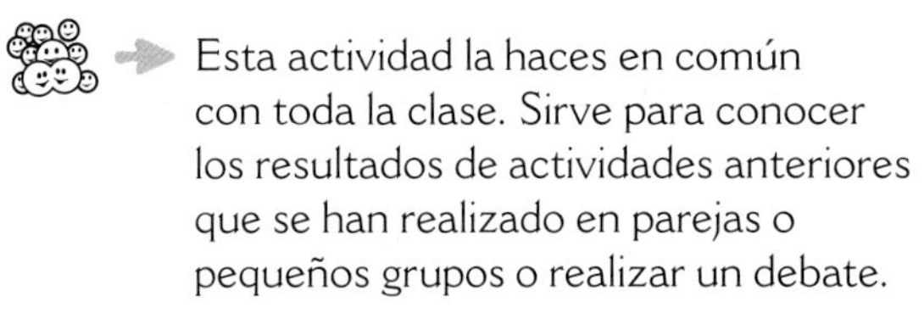

Esta actividad la haces en común con toda la clase. Sirve para conocer los resultados de actividades anteriores que se han realizado en parejas o pequeños grupos o realizar un debate.

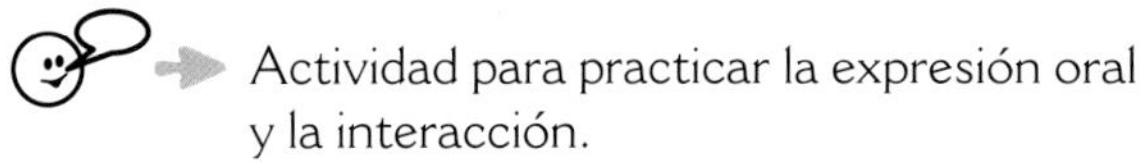

Actividad para practicar la expresión oral y la interacción.

Actividad para practicar la expresión escrita.

Actividad para practicar la comprensión escrita (relacionar, unir, etc.) o la lectura.

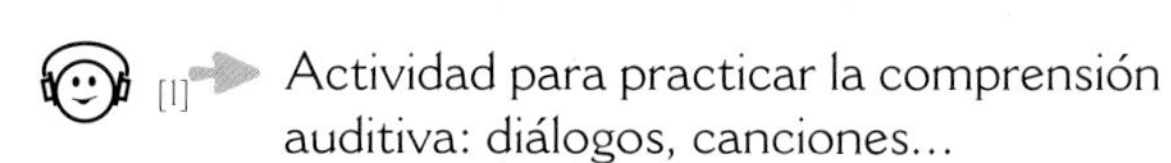

[1] Actividad para practicar la comprensión auditiva: diálogos, canciones...

Actividad para la práctica y consolidación del vocabulario.

Actividad lúdica para practicar algunos contenidos lingüísticos.

Actividad que debe ser realizada fuera del aula.

Actividad que el profesor va a explicar más detalladamente.

Presta atención a esta estructura.

Actividad que sirve para añadir al dossier de tu Portfolio.

Índice de contenidos

Actividades de CLUB PRISMA para incluir en el dossier de tu Portfolio:

Unidad	Actividad	Página	Contenido	☑
1	7.4.	15	Los datos personales	☐
2	4.5.	21	Los colores	☐
3	3.4.	31	Mi familia	☐
	Tareas con Internet	36	La Familia Real española	☐
4	4.4.	43	Solicitud abono transporte	☐
	6.1., 6.1.1. y 6.1.2.	44	Las tiendas	☐
5	4.1.1. y 4.1.4.	52	Los españoles	☐
	Tareas con Internet	56	Madrid y el Museo del Prado	☐
6	3.2.	62	La dieta española	☐
	4.1.	63	El cuerpo humano	☐
	5.6.1.	65	Expresar dolor	☐
	Tareas con Internet	66	Barcelona	☐
7	1.3.3.	71	De compras	☐
	3.4.1.	75	Costumbres españolas	☐
8	2.4.	81	El tiempo atmosférico	☐
	4.2.	83	Concertar una cita	☐
	4.5.	84	La obligación	☐
	Ficha 26. Libro del profesor		Un viaje a África	☐
9	1.8.	90	¿Ya lo has hecho?	☐
	3.4.	94	¿Qué hiciste el verano pasado?	☐
	Tareas con Internet	96	Un artículo de periódico	☐
10	2.1.2.	101	Los festivos y las vacaciones en España	☐
	2.5.2.	102	El mapa de España	☐
	5.2.	106	Pedir permiso	☐
	Tareas con Internet	108	Las comunidades autónomas de España	☐

Hola, ¿qué tal?

Contenidos funcionales
- Saludar formal e informalmente. Despedirse
- Identificar(se): decir la nacionalidad, el origen, la profesión, la edad...
- Presentar(se)
- Dar una opinión
- Deletrear
- Expresar posesión y pertenencia
- Expresar sensaciones

Contenidos gramaticales
- El alfabeto. Letras y sonidos en español
- Presentes: *ser, tener, trabajar, llamarse*
- Números: *0-101*
- Los demostrativos: *este, esta, estos, estas*
- Interrogativos: *¿Cómo/De dónde/Cuántos?*
- *Yo creo que* + opinión

Contenidos léxicos
- Gentilicios
- Nombres de países
- Operaciones matemáticas
- Profesiones

Contenidos culturales
- Los nombres y apellidos en España

1 Contactos en español

1.1. [1] Escucha.

Presentarse y saludar

► **Hola, me llamo** + nombre. **¿Y tú? (¿cómo te llamas?)**
▷ **(Me llamo)** + nombre / **Soy...**

► **¿Cómo se llama?**
▷ **Se llama** + nombre / **Es...**

Presente

Llamarse

Yo	**me** llam**o**
Tú	**te** llam**as**
Él/ella/usted	**se** llam**a**
Nosotros/as	**nos** llam**amos**
Vosotros/as	**os** llam**áis**
Ellos/ellas/ustedes	**se** llam**an**

1.2. **Y tú, ¿quién eres? En grupos de tres, inventad una personalidad y decid quiénes sois.**

2 El alfabeto. Deletrear

2.1. [2] **Escucha y repite.**

EL ALFABETO

a ... a	e ... e	j ... jota	n ... ene	r ... erre	w ... uve doble
b ... be	f ... efe	k ... ka	ñ ... eñe	s ... ese	x ... equis
c ... ce	g ... ge	l ... ele	o ... o	t ... te	y ... i griega/ye
ch ... che	h ... hache	ll ... elle	p ... pe	u ... u	z ... zeta
d ... de	i ... i	m ... eme	q ... cu	v ... uve	La ch y la ll representan un sonido

2.2. **Pregunta a tu compañero para completar el cuadro.**

Ejemplo

► *¿Cómo se llama de nombre Rodríguez Navarro?*
▷ *María Soledad.*
► *¿Cómo se escribe?*
▷ *María: eme, a, erre, í, a. Y Soledad: ese, o, ele, e, de, a, de.*

Alumno A

	Nombre	Apellidos
1.		Rodríguez Navarro
2.		Matute
3.		de Goya y Lucientes
4.	Mario	Vargas Llosa
5.	Ramón	del Valle Inclán
6.		Muñoz Molina
7.	Emilia	Pardo Bazán

Ejemplo

► *¿Cómo se apellida María Soledad?*
▷ *Rodríguez Navarro.*

Alumno B

	Nombre	Apellidos
1.	María Soledad	
2.	Ana María	Matute
3.	Francisco	de Goya y Lucientes
4.	Mario	
5.	Ramón	
6.	Antonio	Muñoz Molina
7.	Emilia	

3 ¿De dónde?

3.1. **Con tu compañero, escribe más nombres de países.**

Asia	África	Europa	América	Oceanía
China	Egipto	Holanda	Argentina	Australia
		Alemania	México	
		Italia	Colombia	
			Cuba	

3.2. **¿Sabes de dónde es...? ¿Sabes de dónde son...? Discute con tus compañeros de dónde son estas cosas.**

Para decir tu opinión:
Yo creo que **+ opinión**

Ejemplo

► *¿De dónde es el oso panda?*

▷ *Es japonés.*

► *No... yo creo que es chino.*

▷ *No sé, pero es asiático, seguro.*

3.3. **Completa el cuadro siguiendo el ejemplo de la primera línea.**

Ejemplo

	Italia	italiano	italiana	italianos	italianas
1	México	mexicano		mexicanos	
2	Estados Unidos	estadounidense		estadounidenses	
3	Brasil		brasileña		brasileñas
4	Suiza	suizo		suizos	
5	Suecia		sueca		suecas
6	Egipto	egipcio		egipcios	
7	Japón	japonés			japonesas

4 ¿Quién es?

4.1. Con tu compañero, identifica a estos personajes.

Nacionalidad:
- estadounidense
- inglés
- egipcia

Profesión:
- reina
- actor
- mago

Nombre:
- Mickey Mouse
- Cleopatra
- Harry Potter

Ejemplo
- *Se llama Cleopatra.*
- *Es reina.*
- *Es egipcia.*

Presente

Ser

Yo	**soy**	**Nosotros/as**	**somos**
Tú	**eres**	**Vosotros/as**	**sois**
Él/ella/usted	**es**	**Ellos/ellas/ustedes**	**son**

Usamos el verbo *ser* para:

Identificarse
- **Ser** + nombre
  - ► *Soy Marisol García.*

Decir la nacionalidad o el origen
- **Ser** + adjetivo de nacionalidad
  - ► *Soy inglés.*
- **Ser** + **de** + nombre de país, ciudad, pueblo...
  - ► *Soy de Manchester.*

Decir la profesión o la actividad
- **Ser** + nombre de profesión
- **Ser estudiante de** + estudios
  - ► *Yo soy profesora de español, ¿y tú?*
  - ▷ *(Yo soy) Estudiante de Económicas.*

Yo soy enfermera.

4.2. Relaciona y escribe la información.

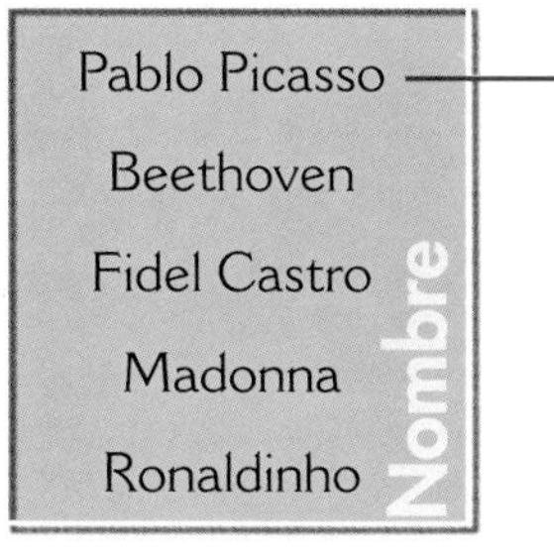

Nombre	Profesión	Nacionalidad
Pablo Picasso	pintor	cubana
Beethoven	político	alemana
Fidel Castro	futbolista	brasileña
Madonna	cantante	española
Ronaldinho	músico	estadounidense

Ejemplo *Se llama Pablo Picasso, es pintor, es español.*

4.3. Piensa en un personaje famoso. Tus compañeros van a hacerte preguntas para saber quién es. Tú solo puedes contestar sí o no.

5 Los números

5.1. [3] **Escucha.**

0	cero	10	diez	20	veinte	30	treinta
1	uno	11	once	21	veintiuno	31	treinta y uno
2	dos	12	doce	22	veintidós	42	cuarenta y dos
3	tres	13	trece	23	veintitrés	53	cincuenta y tres
4	cuatro	14	catorce	24	veinticuatro	64	sesenta y cuatro
5	cinco	15	quince	25	veinticinco	75	setenta y cinco
6	seis	16	dieciséis	26	veintiséis	86	ochenta y seis
7	siete	17	diecisiete	27	veintisiete	97	noventa y siete
8	ocho	18	dieciocho	28	veintiocho	100	cien
9	nueve	19	diecinueve	29	veintinueve	101	ciento uno

5.2. **Relaciona el signo con su nombre.**

Signo		Nombre
1. x		a. más
2. +		b. menos
3. =		c. por
4. -		d. entre
5. : (/)		e. igual

5.3. **Rellena el crucigrama y encuentra el número secreto.**

1. 5 + 5 = ...
2. Los días de la semana ....
3. 3 x 5 = ...
4. Las patas del gato ....
5. 10 + 10 = ...
6. Los dedos de la mano ....
7. 7 x 2 = ...
8. 12 - 4 = ...
9. 10 + 1 = ...

5.4. Alumno A **Lee a tu compañero los números de tu ficha.**

Alumno B **Marca los números que lee tu compañero. ¿Cuántos son diferentes?**

25 77 11 32 82
71 43 18 85 55

36 67 98 48 37
59 62 94 16 66

CONTINÚA

5.5. Vamos a jugar a los chinos; coge tres monedas. Tu profesor te da las instrucciones.

6 Tengo...

6.1. Relaciona cada frase con su fotografía.

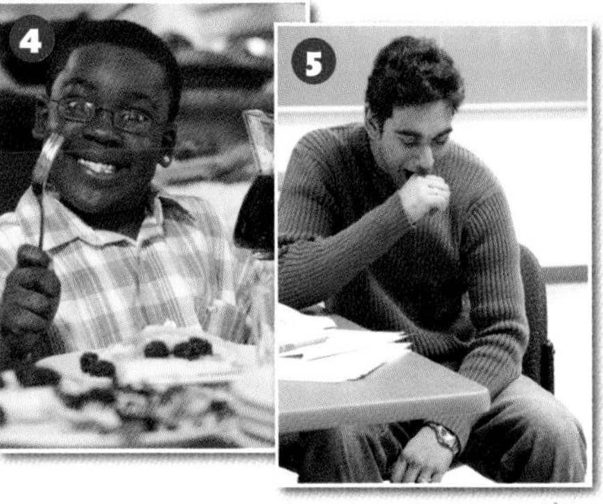

- A. Tengo hambre .... ○
- B. Tengo dos buenas amigas .... ○
- C. Tengo calor .... ○
- D. Tengo sed .... ○
- E. Tengo una moto .... ○
- F. Tengo 10 años .... ○
- G. Tengo sueño .... ○

Presente

Tener

Yo	tengo	Nosotros/as	tenemos
Tú	tienes	Vosotros/as	tenéis
Él/ella/usted	tiene	Ellos/ellas/ustedes	tienen

El verbo *tener* sirve para:

Expresar posesión y pertenencia
- *Javier y Susana tienen una casa grande.*
- *Carlos tiene un diccionario.*

Expresar sensaciones
- *Tengo hambre.*

Decir la edad
- *Javier tiene 14 años.*
- *Y tú, ¿cuántos años tienes?*

6.2. Mirad este cuadro. ¿Podéis pensar en tres cosas, edades o sensaciones más?

- ○ Un teléfono móvil ○
- ○ Un mp3 ○
- ○ Calor ○
- ○ Hambre ○
- ○ Una hermana pequeña ○
- ○ Más de 13 años ○
- ○ Frío ○
- ○ Gafas de sol ○
- ○ Un bolígrafo rojo ○
- ○ Una moto ○

6.3. Ahora, pregunta a tus compañeros si tienen esas cosas, edad o sensaciones.

Ejemplo
► *Oye, ¿tú tienes moto?*

6.4. Pregúntale a tu compañero las edades de los miembros de su familia. Luego haz una lista de las edades y comprueba que es correcta.

madre • padre • hermano/a • abuelo/a • tío/a • primo/a

7 ¿Qué tal?

7.1. [4] Escucha los diálogos y completa.

A

► Hola, Álvaro, ¿qué tal?
▷ Bien. Mira, esta es Teresa.
► Hola, ¿.......................................?
► Bien, ¿y tú?
► Bien, bien. Bueno, hasta luego.

B

► .... Sra. López, ¿qué tal está?
► Muy bien, gracias.
► Mire, le presento a mi hijo Pedro.
► Mucho gusto.
▷ Encantado, señora.

7.2. Elige la opción correcta.

	Informal	Formal
Diálogo A	☐	☐
Diálogo B	☐	☐

7.3. Completa el cuadro con las expresiones del diálogo A.

Informal

Para presentarse
– Hola, soy + nombre.

Para presentar a alguien
– Mira, ... + nombre.

Para saludar
– ....
– Hola, | buenos días, / buenas tardes, / buenas noches, | ¿cómo estás?

Para responder a un saludo
– Hola.
– ....
– Bien, ¿y tú?
– ....

Para despedirse
– Adiós.
– .... /pronto/mañana.

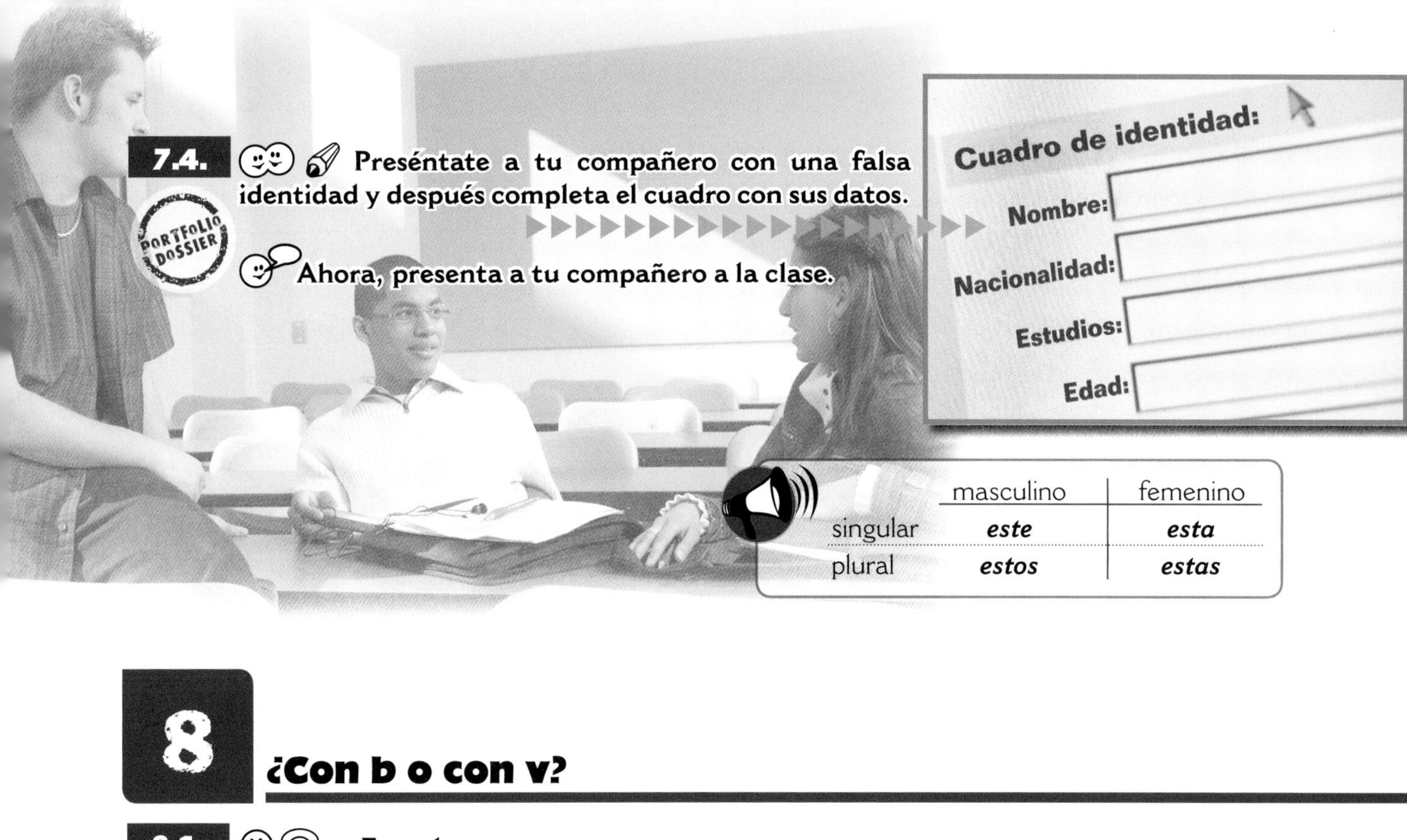

7.4. Preséntate a tu compañero con una falsa identidad y después completa el cuadro con sus datos.

PORTFOLIO DOSSIER

Ahora, presenta a tu compañero a la clase.

	masculino	femenino
singular	*este*	*esta*
plural	*estos*	*estas*

8 ¿Con b o con v?

8.1. [5] Escucha.

Letras y sonidos en español

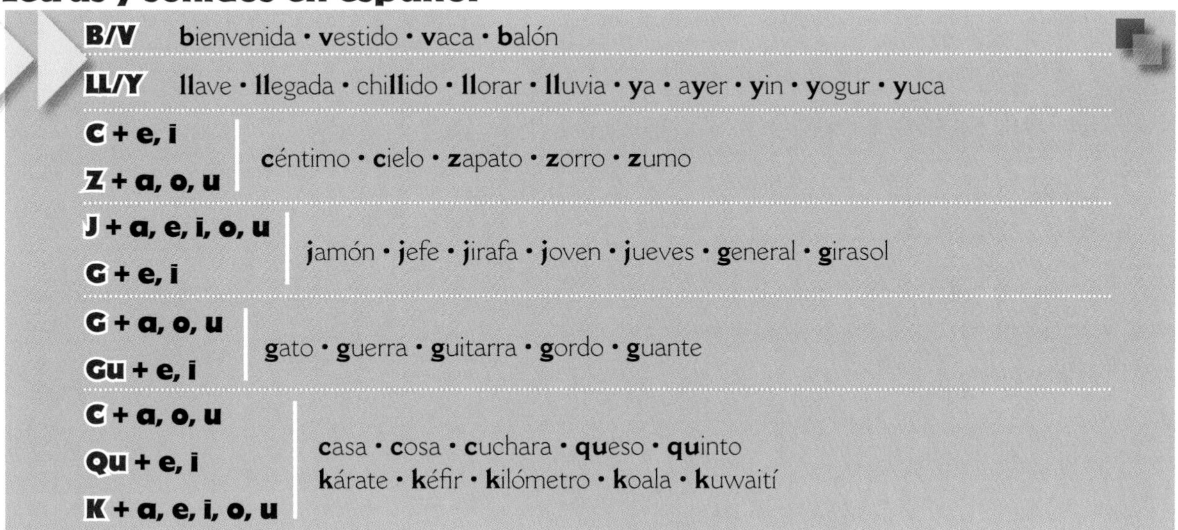

B/V	**b**ienvenida • **v**estido • **v**aca • **b**alón
LL/Y	**ll**ave • **ll**egada • chi**ll**ido • **ll**orar • **ll**uvia • **y**a • a**y**er • **y**in • **y**ogur • **y**uca
C + e, i **Z + a, o, u**	**c**éntimo • **c**ielo • **z**apato • **z**orro • **z**umo
J + a, e, i, o, u **G + e, i**	**j**amón • **j**efe • **j**irafa • **j**oven • **j**ueves • **g**eneral • **g**irasol
G + a, o, u **Gu + e, i**	**g**ato • **gu**erra • **gu**itarra • **g**ordo • **g**uante
C + a, o, u **Qu + e, i** **K + a, e, i, o, u**	**c**asa • **c**osa • **c**uchara • **qu**eso • **qu**into **k**árate • **k**éfir • **k**ilómetro • **k**oala • **k**uwaití

8.2. [6] Escucha e identifica las palabras.

quinto, café, agua, cuántos, México, tango, Suiza, ¿qué tal?, Guinea, Francia, sueco, España, catalán, gallego, ingeniero, cinco

8.3. [7] Escucha y escribe según el modelo.

Ejemplo: [Q] [U] eso

1. fran [ ] és
2. portu [ ] [ ] és
3. Bél [ ] ica
4. sue [ ] as
5. Mé [ ] ico
6. on [ ] e
7. [ ] uatro
8. de [ ] ir
9. [ ] arabe
10. [ ] amón
11. [ ] ielo
12. [ ] apato
13. [ ] ueves
14. [ ] uante

1 **Busca en la siguiente web: http://www.enplenitud.com/nota.asp?articuloid=1834 información sobre el sistema de apellidos español y di si las siguientes afirmaciones son verdaderas o falsas.**

	Verdadero	Falso
1. Los españoles tienen dos apellidos.	☐	☐
2. La mujer casada cambia su apellido por el del marido.	☐	☐
3. Para el uso social, la mujer puede utilizar el apellido del marido.	☐	☐
4. En documentos oficiales, el único apellido válido es el del marido.	☐	☐
5. El nombre va siempre delante de los apellidos.	☐	☐
6. El primer apellido es el primer apellido del padre.	☐	☐
7. El segundo apellido es el segundo apellido de la madre.	☐	☐
8. Para los españoles este sistema es muy complicado.	☐	☐
9. El orden de los apellidos se puede cambiar.	☐	☐

Los apellidos españoles

http://www.enplenitud.com/nota.asp?articuloid=1834

Los apellidos españoles

Los apellidos españoles, como los de otros países europeos, comenzaron a ser utilizados a partir de los siglos XI y XII. Su evolución y sus características no son diferentes a los de esos otros países. Sin embargo, hay algunas particularidades que conviene resaltar:

1.- El sistema español de los dos apellidos

Es frecuente que los españoles –y los hispanoamericanos, cuyos países heredaron el sistema español de apellidos– tengamos problemas en otros países, donde no siempre se entiende que nuestro apellido no es solamente el ÚLTIMO que aparece en la lista; que no existe entre nosotros el llamado *middle name* ni que existe nada parecido a un "nombre de soltera" para las mujeres casadas...

2 **Con tu compañero, entra en: elhuevodechocolate.com y pincha en el enlace "Acertijos". Elige dos acertijos matemáticos, resuélvelos y preséntalos al resto de la clase. Solo hay una condición: no se puede escribir.**

PORTFOLIO
BIOGRAFÍA
LINGÜÍSTICA

PROGRESANDO

1 ¿Puedes presentarte y saludar de manera informal? Da un ejemplo.

....

2 ¿Puedes reconocer nombres y apellidos españoles?

....

3 ¿Puedes deletrear tu nombre?

....

4 ¿Puedes nombrar más de cinco países en español y sus nacionalidades?

....

5 Escribe dos frases con el verbo *ser*.

....

6 ¿Eres capaz de dar tu número de teléfono?

....

7 ¿Puedes expresar origen? Da un ejemplo.

....

8 ¿Puedes expresar sensaciones? Da un ejemplo.

....

9 ¿Puedes decir tu edad?

....

10 Escribe una lista de las profesiones que recuerdes.

....

11 Escribe el nombre que corresponde a estos dibujos:

a. ____________ b. ____________ c. ____________ d. ____________ e. ____________

12 ¿Qué letras corresponden a sonidos diferentes en tu lengua? ¿Hay alguna letra que no exista?

A C CH E G I J LL Ñ R U V Z

13 Escribe diez palabras que has aprendido.

....

14 ¿Hay alguna palabra en español similar en tu lengua?

....

15 ¿Has comprendido toda la unidad?

....

16 ¿Qué te ha resultado más difícil de aprender? ¿Y lo más fácil?

....

Unidad

¿En la clase o en tu casa?

Contenidos funcionales
- Pedir y dar información espacial: ubicar cosas y personas
- Describir objetos y lugares

Contenidos gramaticales
- Presentes regulares: *-ar/-er/-ir*
- Usos *tú/usted*
- Género y número en los sustantivos y adjetivos
- Uso del artículo determinado e indeterminado
- Verbo *estar*
- Contraste *hay/está-n*

Contenidos léxicos
- Objetos de clase, de escritorio y personales
- Los colores
- La casa: distribución y mobiliario
- Adivinanzas

Contenidos culturales
- Formas de tratamiento en España
- Las banderas de varios países hispanoamericanos

1 La clase

1.1. En la pizarra tienes palabras referidas a objetos de la clase y personales. Relaciona cada palabra con su objeto correspondiente.

1.2. Busca en el diccionario las palabras que todavía no conoces.

1.3. Ordena en estos dos cuadros las palabras nuevas.

1.4. El ahorcado.

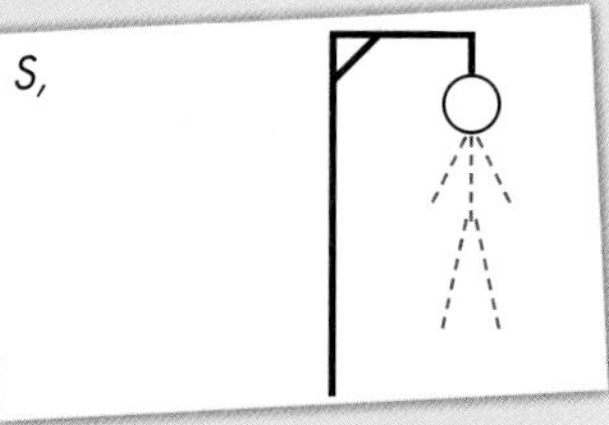

2 El presente

2.1. Escribe las palabras adecuadas debajo de las fotografías correspondientes.

escribir • tirar • escuchar • borrar • mirar • meter en • subir • leer

1. ....

2. ....

3. ....

4. ....

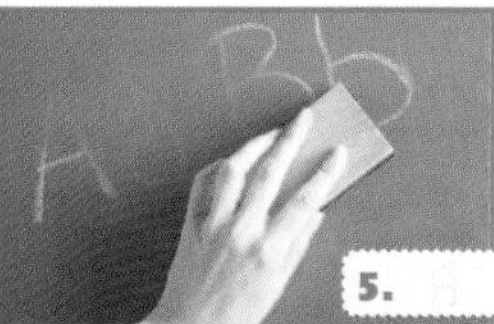
5. ....

6. ....

7. ....

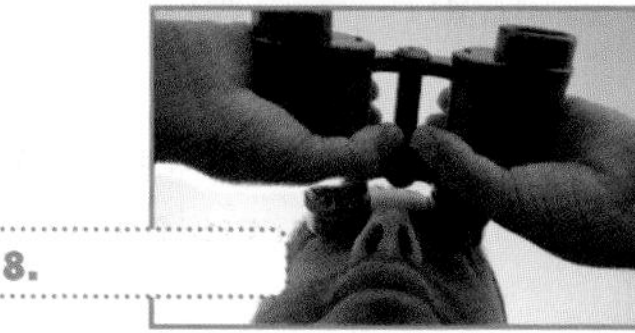
8. ....

2.2. Ahora, clasifica los verbos según su terminación.

En español los verbos terminan en: ***-ar***, tirar | ***-er***, leer | ***-ir***, abrir

-ar	-er	-ir

2.3. Completa el cuadro. Te damos todas las formas.

- subís
- habláis
- leo
- sube
- hablas
- lee
- subimos
- leen

	hablar	**leer**	**subir**
Yo	hablo		subo
Tú		lees	subes
Él/ella/usted	habla		
Nosotros/as	hablamos	leemos	
Vosotros/as		leéis	
Ellos/ellas/ustedes	hablan		suben

2.4. Relaciona algunos de los verbos del ejercicio 2.2. con las palabras del cuadro del ejercicio 1.1. y haz frases.

Ejemplo: Escribir + bolígrafo → *El bolígrafo escribe bien.*

3 ¿Tú o usted?

3.1. Lee.

¿Qué hacéis?

Escribimos un e-mail para Rebeca.

¿Puede traernos la cuenta?

Sí, claro, ahora mismo.

- Usamos **tú** con amigos y familia. Es informal.
- Usamos **usted** con gente que no conocemos, o en el trabajo, con superiores. Es formal.

3.2. [8] **Escucha los diálogos y clasifícalos en informal y formal.**

	Informal	Formal
Diálogo A	☐	☐
Diálogo B	☐	☐
Diálogo C	☐	☐
Diálogo D	☐	☐

4 Las nubes son blancas

4.1. **Busca estas palabras en el diccionario y di si son masculinas o femeninas.**

Art.		Masc.	Fem.	Art.		Masc.	Fem.	Art.		Masc.	Fem.
1.	garaje	☐	☐	6.	bolígrafo	☐	☐	11.	cuaderno	☐	☐
2.	pizarra	☐	☐	7.	mano	☐	☐	12.	alumno	☐	☐
3.	mapa	☐	☐	8.	libro	☐	☐	13.	perro	☐	☐
4.	carpeta	☐	☐	9.	hoja	☐	☐	14.	casa	☐	☐
5.	ventana	☐	☐	10.	tarjeta	☐	☐	15.	día	☐	☐

4.1.1. **Después de hacer el ejercicio anterior, ¿puedes completar este cuadro?**

- La mayoría de las palabras masculinas en español terminan en: ....
- La mayoría de las palabras femeninas en español terminan en: ....

4.1.2. **¿Has encontrado excepciones a esta regla? Escríbelas.**

4.1.3. **Vuelve al cuadro de 4.1. y complétalo con el artículo adecuado, *el* o *la*.**

4.2. Relaciona las palabras de las columnas.

1. Un libro	a. roja
2. Una carpeta	b. morados
3. Unos cuadernos	c. rojo
4. Unas pizarras	d. negras

4.3. Lee.

4.4. ¿De qué color son estas cosas?

4.5. Usa tu imaginación. ¿De qué color es el amor, la guerra, la alegría, la tristeza...? Discútelo con tu compañero. Para dar tu opinión usa: *Para mí, es...* Después escribe cinco frases explicando el "color" de estas palabras.

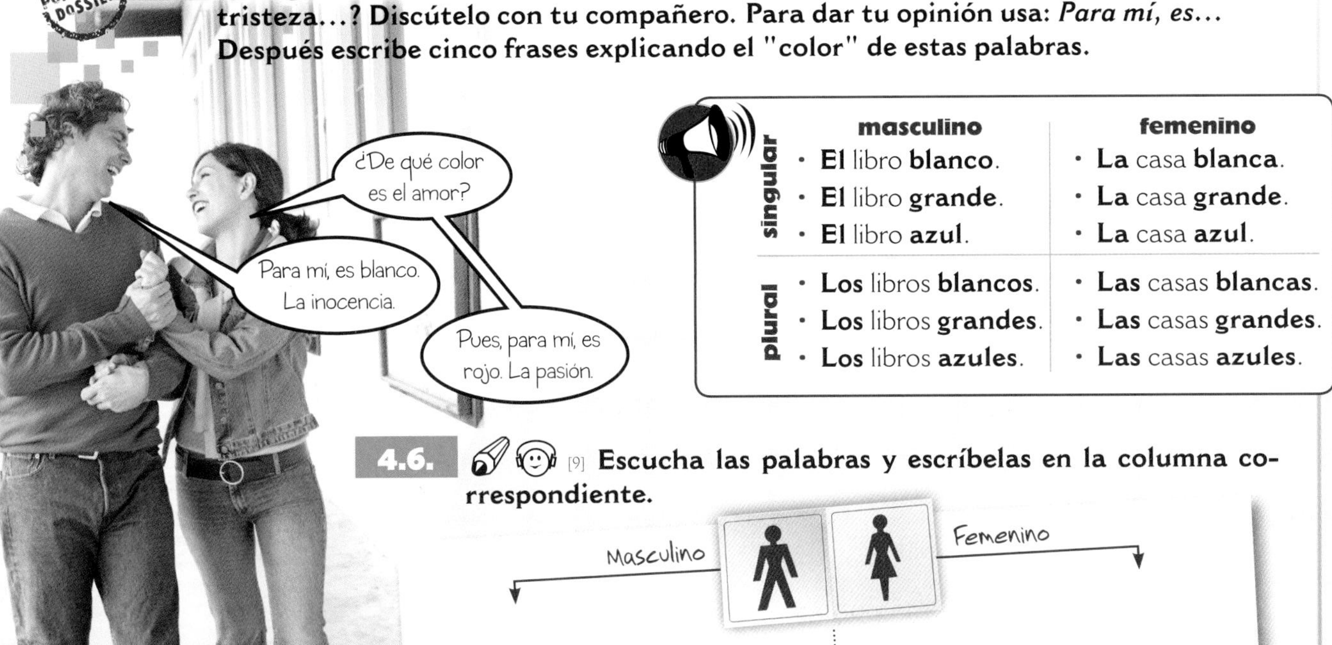

	masculino	femenino
singular	• El libro **blanco**. • El libro **grande**. • El libro **azul**.	• La casa **blanca**. • La casa **grande**. • La casa **azul**.
plural	• Los libros **blancos**. • Los libros **grandes**. • Los libros **azules**.	• Las casas **blancas**. • Las casas **grandes**. • Las casas **azules**.

4.6. [9] Escucha las palabras y escríbelas en la columna correspondiente.

4.7. Completa el texto con las palabras del cuadro.

negra • alto • rojas • grande • extraño • antiguos • oscuras

En la clase 34 hay una mesa (1) .... para el profesor. Hay sillas (2) ...., una pizarra (3) .... y un mapamundi. En la clase 34 hay diecisiete estudiantes. Los estudiantes ahora no están en clase, porque son las 6 de la mañana. Un hombre (4) ...., (5) .... y con gafas (6) .... entra en la clase. El hombre está nervioso. Busca algo. Coge unos libros (7) .... de la librería y unas carpetas de plástico y sale deprisa...

4.8. Ahora, con las palabras subrayadas, completa el cuadro.

	Masculino	Femenino
Singular	.... /	*la* / ....
Plural	.... / *unos*	.... / *unas*

- Los artículos determinados **el/la/los/las** sirven para identificar y hablar de un objeto o ser que conocemos o del que ya hemos hablado.

  Los estudiantes de mi grupo son simpáticos.

- Los artículos indeterminados **un/una/unos/unas** sirven para hablar de un objeto o ser por primera vez o cuando no queremos especificar.

  En la clase hay una estudiante que se llama Paula.

4.9. Completa el texto con los artículos correspondientes.

En (1).......... clase hay (2).......... profesora que tiene (3).......... bolígrafo en (4).......... mano y corrige (5).......... ejercicios de gramática. Hay (6).......... estudiantes que escriben (7).......... actividades en (8).......... cuaderno y otros que están escribiendo en (9).......... pizarra. (10).......... profesora está sentada cerca de (11).......... pizarra y hay (12).......... estudiante a su lado. (13).......... estudiante tiene (14).......... problema con (15).......... artículos. (16).......... profesora le corrige: "(17).......... bolígrafo, (18).......... carpeta". Al fondo de (19).......... clase hay (20).......... biblioteca con libros de español y diccionarios.

5 ¿Dónde está Michifú?

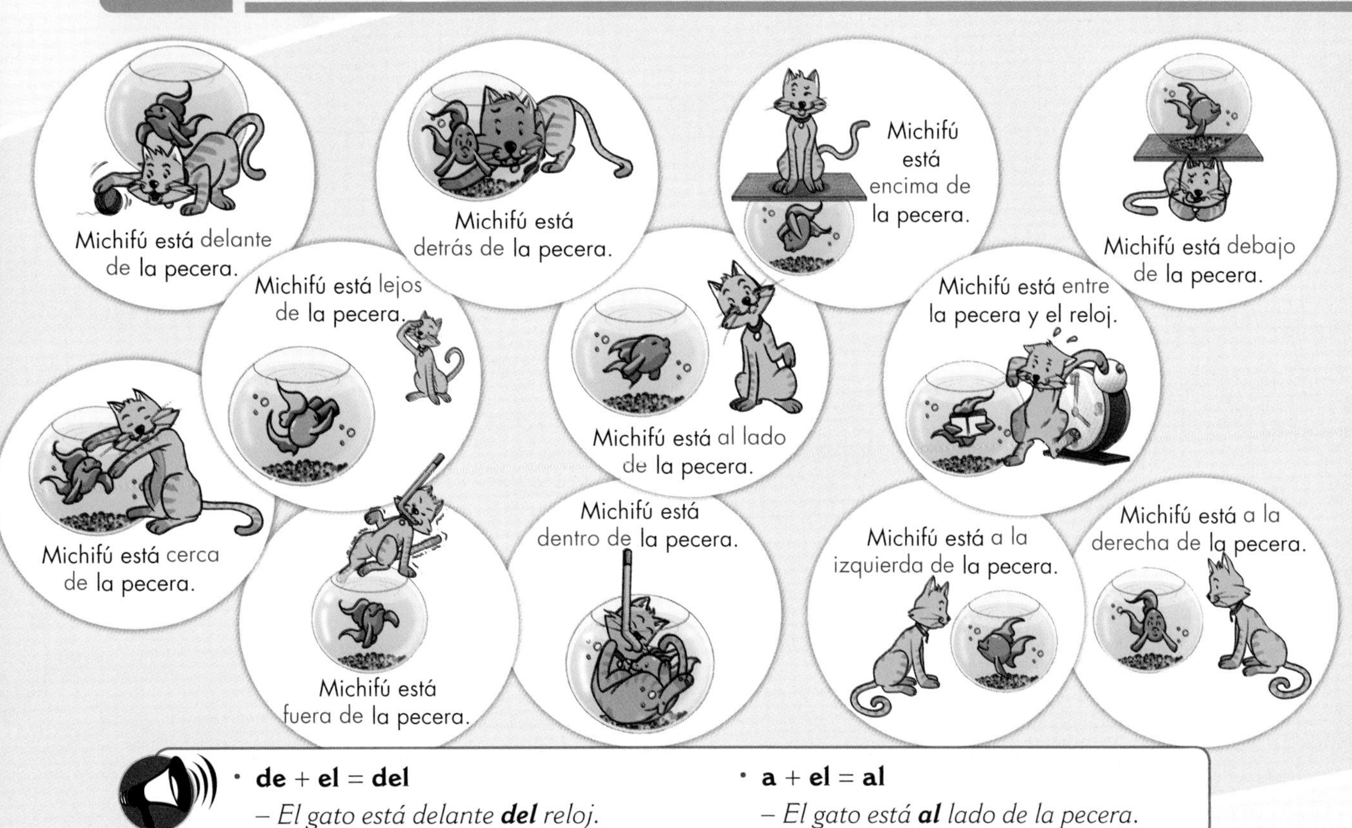

- **de** + **el** = **del**
  – *El gato está delante* ***del*** *reloj.*
- **a** + **el** = **al**
  – *El gato está* ***al*** *lado de la pecera.*

5.1. **Completa las frases con las palabras que aparecen en el recuadro observando la fotografía. Ten en cuenta que no se puede repetir ninguna.**

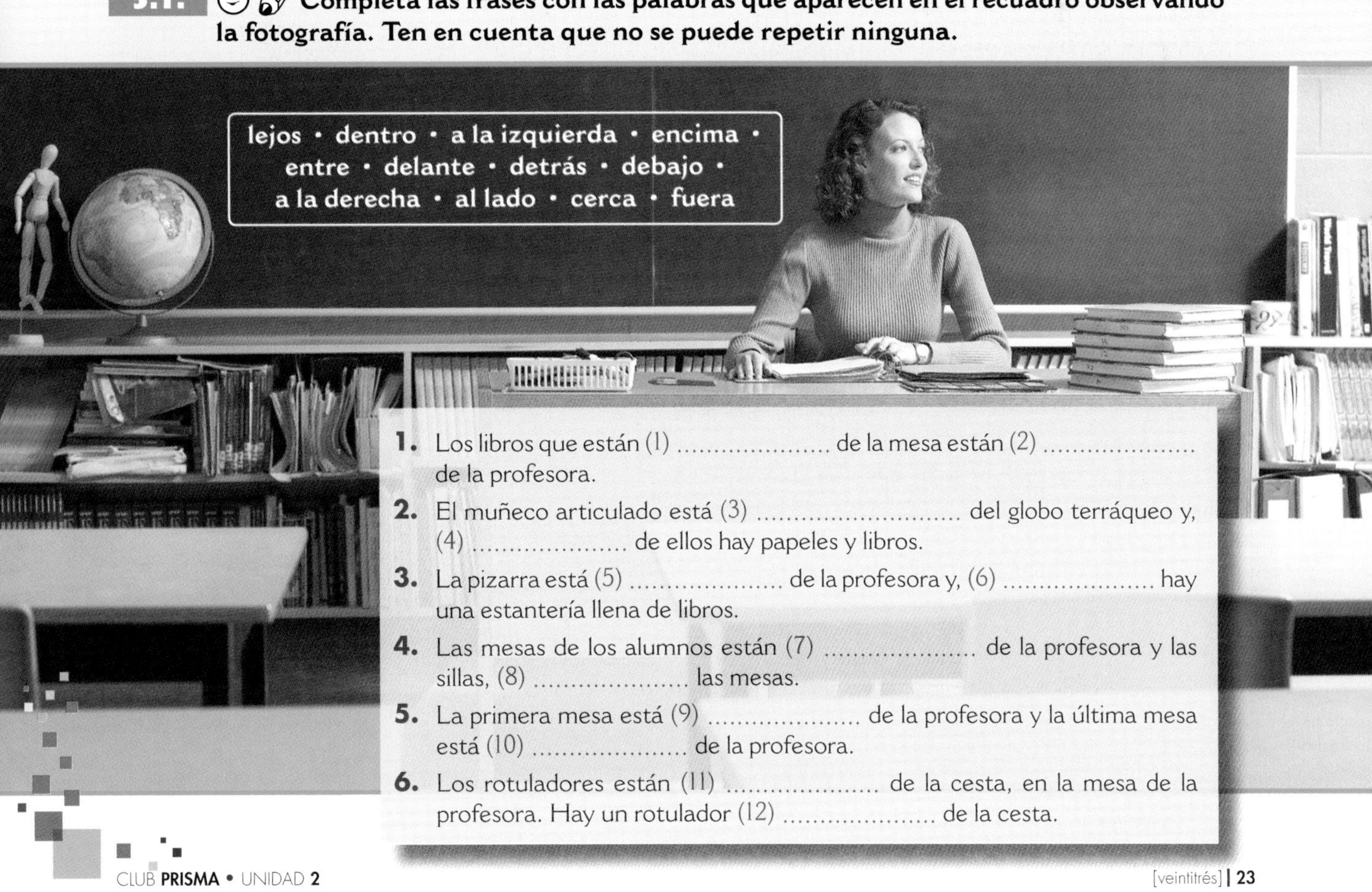

lejos • dentro • a la izquierda • encima • entre • delante • detrás • debajo • a la derecha • al lado • cerca • fuera

1. Los libros que están (1) .... de la mesa están (2) .... de la profesora.
2. El muñeco articulado está (3) .... del globo terráqueo y, (4) .... de ellos hay papeles y libros.
3. La pizarra está (5) .... de la profesora y, (6) .... hay una estantería llena de libros.
4. Las mesas de los alumnos están (7) .... de la profesora y las sillas, (8) .... las mesas.
5. La primera mesa está (9) .... de la profesora y la última mesa está (10) .... de la profesora.
6. Los rotuladores están (11) .... de la cesta, en la mesa de la profesora. Hay un rotulador (12) .... de la cesta.

5.2. **Relaciona las palabras con los elementos de la fotografía.**

- La alfombra
- La mesa
- El móvil
- El perro
- El portátil
- La taza
- Los cojines
- Las ventanas

5.2.1. **Ahora, sitúa los objetos de la fotografía.**

Ejemplo: *La alfombra está debajo de la mesa.*

5.3. **Lee.**

Mi habitación favorita es mi dormitorio. Es amplio y luminoso. Enfrente de la puerta hay una ventana. A la izquierda de la ventana hay un póster de Maná, un grupo de música mexicano que me gusta mucho. La mesa está debajo de la ventana. Encima de la mesa están los apuntes, los bolígrafos y el ordenador. La cama está a la derecha de la puerta. Al lado de la cama está la mesilla. Y entre la mesilla y la mesa, en el rincón, hay un armario. A la izquierda de la mesa hay un mueble especial con una televisión pequeña y la *Play Station*. Debajo del mueble hay unos juegos.

5.3.1. **Escribe en la tabla la forma verbal adecuada y busca los ejemplos en el texto de 5.3.**

están • hay • está

1.	2.	3.
➤ Se usa para hablar de la existencia de algo o de alguien. ➤ Habla de una cosa o de una persona desconocida. ➤ Se usa: verbo + ***un/una*** + nombre. ➤ Cuando la palabra es plural no lleva artículo generalmente: verbo + palabra en plural. ➤ Tiene una sola forma para	➤ Se usa para localizar o situar una cosa o a una persona en un lugar. ➤ Se usa: ***el/la*** + nombre + verbo. ➤ Se refiere solamente a una cosa o a una persona en singular.	➤ Se usa para localizar o situar varias cosas o a varias personas en un lugar. ➤ Se usa: ***los/las*** + nombre + verbo. ➤ Se refiere a cosas o personas en plural.

Presente

Estar

Yo	**estoy**	**Nosotros/as**	**estamos**
Tú	**estás**	**Vosotros/as**	**estáis**
Él/ella/usted	**está**	**Ellos/ellas/ustedes**	**están**

5.4. **Con tu compañero, escribe cinco cosas que hay en tu clase y cinco que no hay. Después escribe dónde están las cosas que hay.**

En la clase hay una pizarra, pero no hay vídeos musicales.
La pizarra está detrás de la mesa del profesor.

6 La casa

6.1. **Aquí tienes cuatro habitaciones de una casa. Señala cuál es la cocina, el salón, el dormitorio y el cuarto de baño.**

1 2 3 4

6.2. **Ahora, clasifica las palabras por habitaciones. Puedes usar el diccionario.**

- sofá
- lavadora
- cama
- lavabo
- bañera
- mesilla de noche
- sillón
- inodoro
- almohada
- pila
- frigorífico
- aparador

Salón: ______

Cocina: ______

Dormitorio: ______

Baño: ______

6.3. **Piensa en una cosa que hay en las habitaciones de los dibujos. Tus compañeros te hacen preguntas hasta adivinar qué es. Solo puedes decir sí o no.**

Ejemplo

► *¿Está en el baño?*

▷ *Sí.*

► *¿Está al lado del lavabo?*

▷ *No.*

6.4. [10] **Ahora, clasifica las palabras que escuches. Algunas las puedes clasificar en más de un apartado.**

Salón	Cocina	Dormitorio	Cuarto de baño

6.5. [11] **Escucha esta canción titulada *La habitación* y marca los nombres de los muebles y objetos que escuches.**

☐ cama	☐ ventana	☐ armario	☐ cuadro	☐ sofá
☐ mesilla	☐ cómoda	☐ lámpara	☐ alfombra	☐ espejo

6.5.1. **Jugamos al "Veo, veo".**

1 **En parejas, leed estas adivinanzas sobre cosas de casa. ¿Sabes la solución? Entra en elhuevodechocolate.com y pincha en el enlace "Adivinanzas". Luego busca tres adivinanzas más para jugar con tus compañeros.**

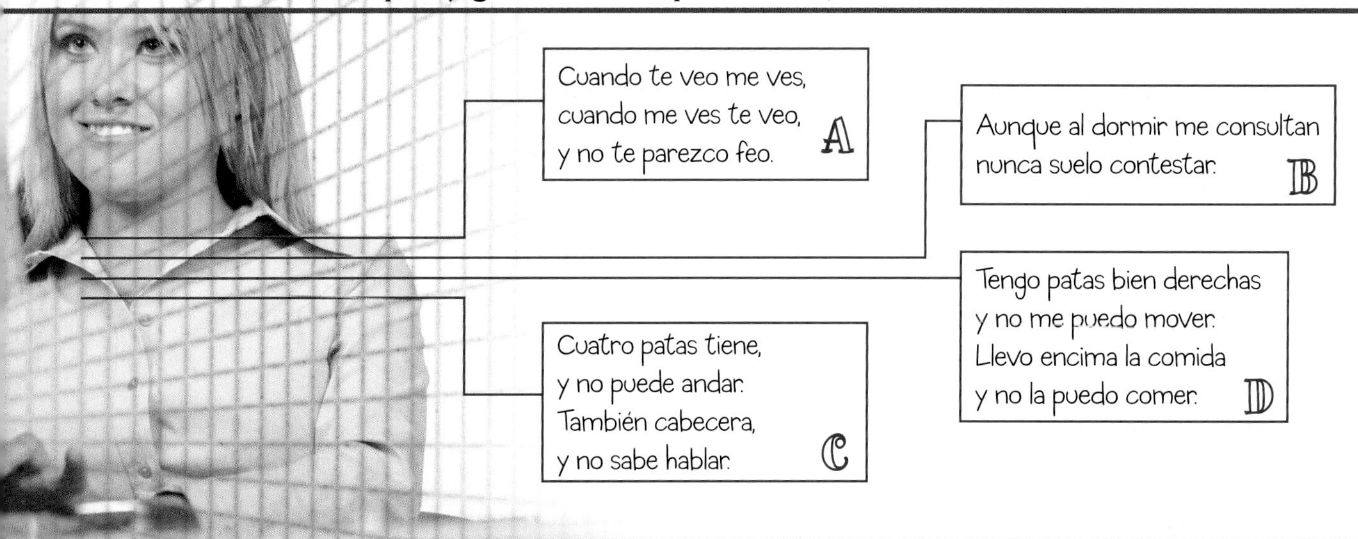

2 **Busca los datos que faltan en Internet para completar el cuadro.**

País	Color de la bandera	Capital	Gentilicio
España	roja / amarilla / roja	Madrid	español / española
Argentina			
Colombia			
Ecuador			
Chile			
Perú			
Cuba			

Sitios recomendados:

Banderas:
educaplus.org > geografía

Capitales y gentilicios:
Diccionario panhispánico de dudas > Apéndices > Lista de países y capitales con sus gentilicios.

1 **Escribe el nombre de cinco objetos de la clase.**

....

2 **¿Puedes indicar dónde están situados los objetos?**

....

3 **Da, al menos, cinco nombres de objetos de la clase y cinco de los de tu habitación.**

....

4 **¿Sabes la diferencia que hay entre *tú* y *usted*? Explícala brevemente.**

....

5 **Escribe la primera y tercera persona del singular de los siguientes verbos:**
Subir:.................................... **Leer:**.................................... **Escuchar:**....................................

6 **Escribe cinco palabras masculinas y cinco femeninas con su artículo correspondiente.**
- **Masculinas:** ....
- **Femeninas:** ....

7 **¿Cuáles son tus colores favoritos?**

....

8 **Completa esta regla y pon un ejemplo:**

Hay + [ ] + nombre ....

[ ] + nombre + está ....

[ ] + nombre en plural + están ....

9 **Clasifica el léxico de esta unidad por temas.**

....

10 **Si utilizas la portadilla de la unidad, ¿es más fácil hacer esta clasificación?**

....

11 **¿Crees que es útil leer esta portadilla antes de empezar la unidad? ¿Por qué?**

....

12 **Ordena las siguientes estrategias para aprender léxico de mayor a menor eficacia.**

- [ ] Agrupar las palabras por temas.
- [ ] Relacionarlas con otras palabras que conoces.
- [ ] Aprenderlas de memoria.
- [ ] Escribirlas en un cuaderno y dentro de una frase.
- [ ] Escribirlas en un cuaderno y definirlas en español.
- [ ] Escribirlas en un cuaderno y traducirlas a tu idioma.

Unidad 3

¡Es precioso!

Contenidos funcionales
- Describir personas: físico y carácter
- Expresar posesión
- Describir prendas de vestir
- Pedir en una tienda
- Decir el precio de una cosa

Contenidos gramaticales
- Adjetivos calificativos
- Adjetivos y pronombres posesivos
- *Ser, tener, llevar*

Contenidos léxicos
- La familia
- La ropa
- El aspecto físico
- El carácter

Contenidos culturales
- La Familia Real española
- Personajes famosos españoles

1 ¿Cómo es?

1.1. Lee.

Se llama Penélope. Es joven, morena, delgada y atractiva. Penélope tiene los ojos oscuros y muy grandes. Tiene el pelo largo. Es simpática y divertida.

1.2. **Subraya** los verbos del texto que sirven para describir.

1.3. Completa los cuadros:

Es
Es morena.

Tiene
Tiene los ojos oscuros.

Cuando decimos cómo es una persona usamos el verbo *ser* + adjetivo y *tener* + nombre + adjetivo.

Ejemplo: *Es morena.*
Tiene los ojos oscuros.

1.4. Relaciona.

1. Es alta.	**a.** No tiene pelo.
2. Es calvo.	**b.** Pesa 112 kilos.
3. Es gorda.	**c.** Tiene 18 años.
4. Es joven.	**d.** Juega al baloncesto.

1.5. Completa con las palabras del cuadro.

rubio • bajo • gordo • alto • calvo • delgado

1.6. ¿Qué significan estas palabras? Usa el diccionario y explícaselo a tu compañero.

1. simpático ≠ antipático	**5.** aburrido ≠ interesante
2. tranquilo ≠ nervioso	**6.** serio ≠ gracioso
3. callado ≠ hablador	**7.** vago ≠ trabajador
4. tonto ≠ inteligente	**8.** alegre ≠ triste

1.7. Lee.

1.8. Piensa en una persona de la clase y di cómo es físicamente y qué carácter tiene, sin decir su nombre. Tus compañeros van a adivinar quién es.

Es:
- ☐ moreno
- ☐ fuerte
- ☐ alto
- ☐ ....

Tiene los ojos:
- ☐ oscuros
- ☐ grandes
- ☐ verdes
- ☐ ....

Es:
- ☐ simpático
- ☐ serio
- ☐ hablador
- ☐ ....

Tiene el pelo:
- ☐ liso
- ☐ rizado
- ☐ largo
- ☐ ....

1.8.1. Ahora podéis jugar a las adivinanzas con un personaje famoso.

2 La familia de Dani

2.1. Lee.

La familia de Dani no es muy grande. Su **padre** se llama Javier García y su **madre**, Marisa Álvarez. Marisa es la **mujer** de Javier. Tienen tres **hijos**: la mayor es Lucía que tiene 16 años. Dani, su **hermano**, tiene once años y Ana, la **hermana** pequeña, pronto va a cumplir 6 años. El padre de Javier se llama Ambrosio, y su madre, Margarita. Ambrosio y Margarita son los **abuelos** de Lucía, Dani y Ana y los **suegros** de Marisa. Joaquín es el **marido** de Mercedes. Joaquín y Mercedes son los abuelos maternos de Dani. Joaquín siempre dice que Javier es su **yerno** favorito y Marisa es la **nuera** que mejor se lleva con Margarita. Es una familia feliz.

2.2. Con tu compañero, completa el árbol genealógico de la familia de Dani.

2.3. ¿Quién es? Vamos a jugar con los miembros de la nueva familia.

3 Mi familia, tu familia, su familia...

3.1. Lee con atención.

3.2. Completa el cuadro:

Los adjetivos posesivos

Tener una cosa de género:		Tener dos o más cosas de género:	
MASCULINO	**FEMENINO**	**MASCULINO**	**FEMENINO**
	Mi casa	**Mis** coches	**Mis** casas
Tu coche		**Tus** coches	
Su coche	**Su** casa	**Sus** coches	**Sus** casas
Nuestro coche			**Nuestras** casas
	Vuestra casa	**Vuestros** coches	
Su coche		**Sus** coches	**Sus** casas

En español el adjetivo posesivo *(mi, tu, su...)* tiene el mismo género y el mismo número que el nombre poseído:

Ejemplo
El *coche* → ***nuestro*** *coche.*
Las *vacas* → ***nuestras*** *vacas.*

3.3. **Fíjate cómo describe Dani a su familia.**

Mi padre se llama Javier y mi madre, Marisa. Tengo dos hermanas, Lucía y Ana. Vivimos los cinco en Bilbao. Mi padre es alto y delgado, y mi madre tiene el pelo rubio y largo. Mi hermana Lucía es muy inteligente y le gusta mucho leer. Ana, la pequeña, siempre está con mi madre y le encanta montar en bicicleta. Yo soy Dani, tengo once años y me gustan mucho las vacaciones porque vamos siempre a la playa.

3.4. **Haz lo mismo y escribe sobre tu familia o sobre una familia imaginaria.**

3.5. [12] **Vas a escuchar a dos personas hablando de alguien. Marca el dibujo al que corresponde la descripción.**

3.5.1. [12] **Ahora, vuelve a escuchar y toma notas sobre la descripción.**

3.6. **Trae la foto de algún familiar o amigo y descríbele a tu compañero a esa persona.**

4 La ropa

4.1. ABC **Escribe el precio en la etiqueta.**

Ejemplo

- El pantalón cuesta 20 euros con 15.
- El pantalón corto cuesta 10 euros.
- Las zapatillas deportivas cuestan 35 euros con 10.
- La camiseta cuesta 27 euros.
- La sudadera cuesta 30 euros.
- Los calcetines de deporte cuestan 6 euros con 10.
- El vestido de fiesta cuesta 80 euros con 15.
- Los zapatos de tacón cuestan 87 euros.
- El collar cuesta 20 euros con 10.

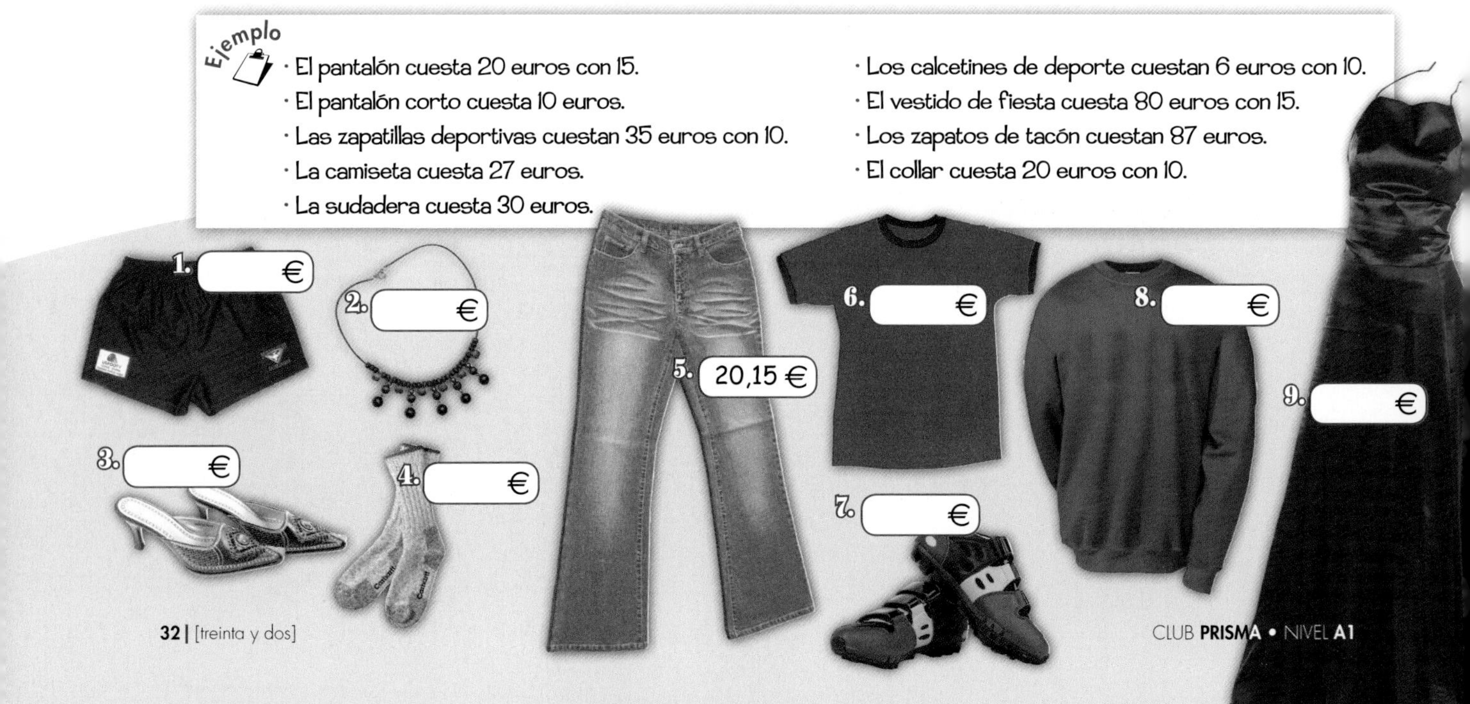

4.1.1. Dani y Lucía no saben qué ropa de la página anterior ponerse, ¿puedes ayudarles?

4.2. [13] **Javier y Marisa han ido a visitar a unos familiares. Hoy hacen la maleta y recogen su ropa. Escucha y marca con 1 las cosas de Javier y con 2 las de Marisa.**

Los pronombres posesivos

Singular	Plural
Es **mío/mía**	Son **míos/mías**
Es **tuyo/tuya**	Son **tuyos/tuyas**
Es **suyo/suya**	Son **suyos/suyas**
Es **nuestro/nuestra**	Son **nuestros/nuestras**
Es **vuestro/vuestra**	Son **vuestros/vuestras**
Es **suyo/suya**	Son **suyos/suyas**

Preguntar y responder con posesivos

Para preguntar por el poseedor decimos:

► *¿**De quién** es esto?*

Y la respuesta es con el posesivo:

▷ *Es mío.*

O con ***de*** + **nombre** cuando hablamos de él, ella, ellos, ellas:

▷ *Es suyo./Es de Eduardo.*

4.3. **¿De quién es?**
Pregunta a tu compañero por el poseedor de las siguientes cosas.

Ejemplo

► *¿De quién es el balón?*

▷ *Es tuyo.*

CONTINÚA

Pregunta a tu compañero por el poseedor de las siguientes cosas.

Ejemplo

► *¿De quién es el balón?*

▷ *Es tuyo.*

4.4. [14] **Vas a escuchar cinco informaciones sobre cinco tipos de ropa. ¿De qué prenda hablan?**

A	B	C	D	E
☐ una falda	☐ una corbata	☐ un traje	☐ unas camisetas	☐ una bufanda
☐ unas sandalias	☐ un jersey	☐ unas mochilas	☐ una chaqueta	☐ unos calcetines
☐ un pantalón	☐ unos zapatos	☐ unos calzoncillos	☐ una falda	☐ un vestido

4.5. **Ahora ya conoces un poquito a la familia García. Piensa en tres prendas de ropa que crees que identifican claramente a cada miembro de la familia que aparece a continuación. Tus compañeros, mediante preguntas, las tendrán que adivinar, después explicarás por qué las has escogido.**

Javier	Ana	Dani	Lucía	Marisa
....	....	....	....	....
....	....	....	....	....
....	....	....	....	....

4.6. **¿Por qué no le preguntas a tu compañero cuáles son sus prendas de vestir favoritas? Háblale también de las tuyas.**

4.7. **Lucía va a comprar una falda a su madre. Con tu compañero, ordena el diálogo.**

- ◯ – ¿Qué talla tiene?
- ◯ – Buenos días.
- ◯ – Quería una falda para mi madre.
- ◯ – Una 42, pero ahora está un poco más delgada... no sé.
- ◯ – 40 euros.
- ◯ – Buenos días, ¿en qué puedo ayudarte?
- ◯ – ¿Esta?
- ◯ – Pues no sé... fácil de combinar, azul o negro.
- ◯ – Muy bien. ¿Cuánto es?
- ◯ – Sí, esta es perfecta. Si hay problemas, ¿puedo cambiarla?
- ◯ – Claro, con el ticket de compra.
- ◯ – Bueno, ¿y de qué color?

4.7.1. [15] **Escucha y comprueba.**

4.8. [16] **Escucha y responde a las preguntas.**

1. **¿En qué página de esta unidad aparecen Cristina y Ramón?**
2. **Para describir a personas usamos los verbos *ser* y *tener*. ¿Qué verbo usamos para describir la ropa y los complementos que usan?**

4.8.1. [16] **Vuelve a escuchar y anota la información sobre Cristina y Ramón, ¿cómo son?, ¿qué ropa llevan?**

Cristina

Ramón

4.8.2. **Completa los datos que te falten con tu compañero.**

4.9. **Mira las fotografías y di cómo son físicamente y qué ropa llevan.**

4.9.1. **Ahora, explica a tus compañeros cómo es el carácter de una de estas personas basándote en su aspecto físico y su ropa. Como no puedes estar completamente seguro, usa *creo que/me parece que*... Tus compañeros tienen que adivinar de quién hablas.**

Ejemplo

Creo que es una persona amable, tímida...

4.9.2. **Entre todos, vais a poner en práctica lo que ya sabéis. Tenéis que imaginar cómo es la familia de estas personas, dónde viven, cuántos años tienen, dónde trabajan...**

4.10. [17] **Marca las palabras que escuches.**

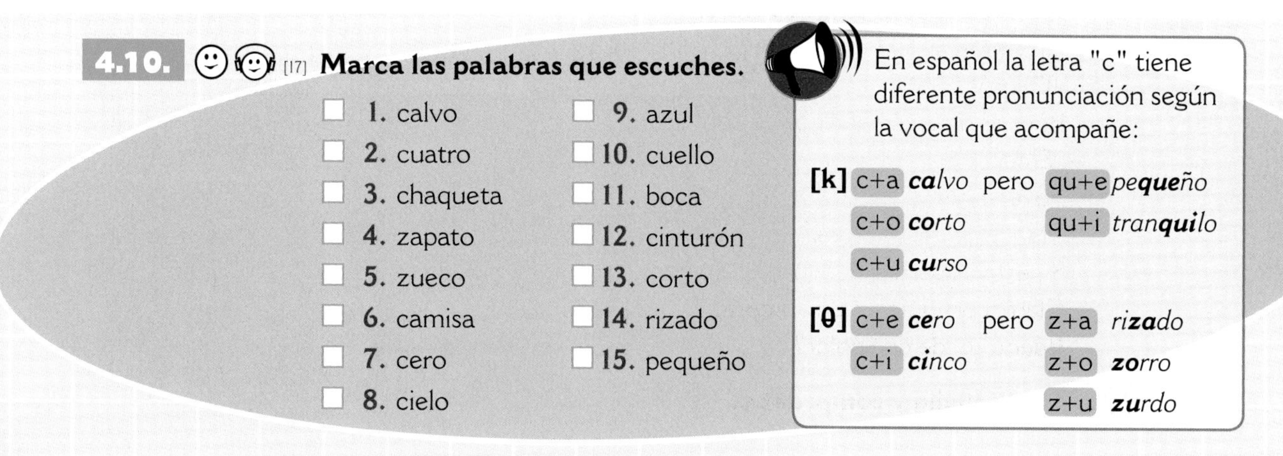

- [ ] **1.** calvo
- [ ] **2.** cuatro
- [ ] **3.** chaqueta
- [ ] **4.** zapato
- [ ] **5.** zueco
- [ ] **6.** camisa
- [ ] **7.** cero
- [ ] **8.** cielo
- [ ] **9.** azul
- [ ] **10.** cuello
- [ ] **11.** boca
- [ ] **12.** cinturón
- [ ] **13.** corto
- [ ] **14.** rizado
- [ ] **15.** pequeño

En español la letra "c" tiene diferente pronunciación según la vocal que acompañe:

[k] c+a ***ca**lvo* pero qu+e *pe**que**ño*
c+o ***co**rto* qu+i *tran**qui**lo*
c+u ***cu**rso*

[θ] c+e ***ce**ro* pero z+a *ri**za**do*
c+i ***ci**nco* z+o ***zo**rro*
z+u ***zu**rdo*

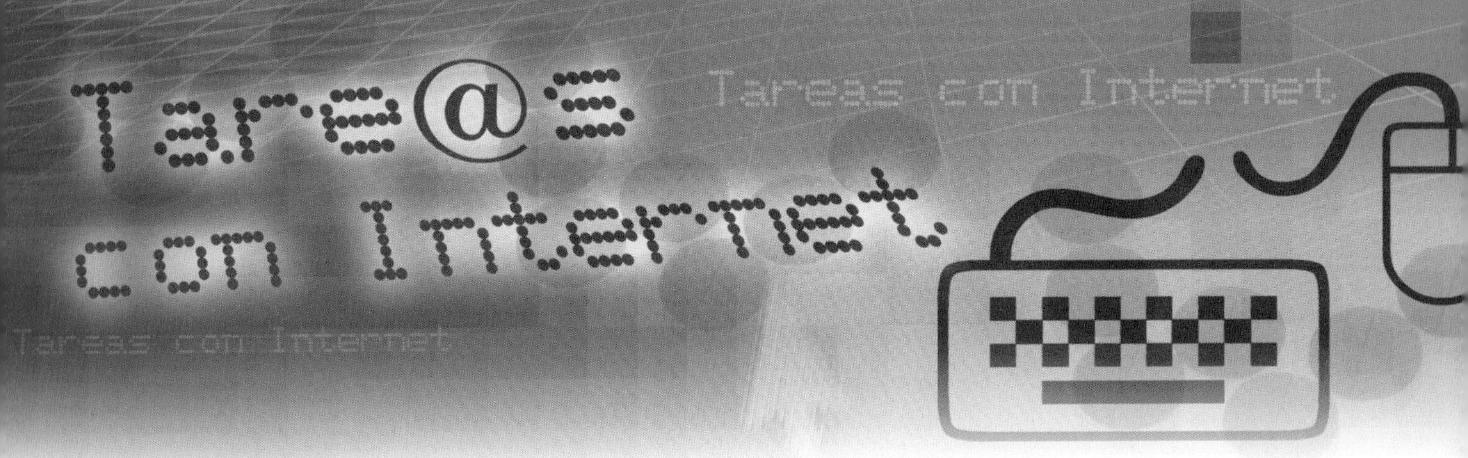

1. Haz el árbol genealógico de la Familia Real española. Puedes acceder a la siguiente página web: http://www.casareal.es

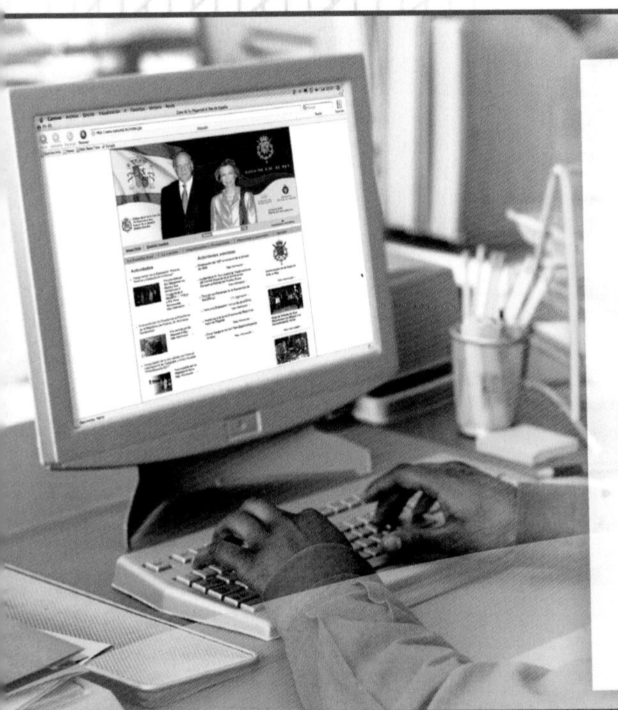

PORTFOLIO DOSSIER

2. Haz una descripción de la Familia Real como la que has leído en el epígrafe 2, ejercicio 2.1.

1 **Recuerda que para describir a una persona usamos:**

- ***Ser*** **+ adjetivo:** ....
- ***Tener*** **+ nombre:** ....
- ***Llevar*** **+ prenda de vestir:** ....

Pon un ejemplo de cada uno.

2 **¿Eres capaz de hacer tu árbol genealógico después de lo que has aprendido? ¿Y explicar las relaciones entre los miembros?**

....

3 **¿Para qué sirven *mi, tu, su* y sus formas plurales? Pon un ejemplo.**

....

4 **¿En qué se diferencian de *mío, tuyo* y *suyo*? Pon un ejemplo.**

....

5 **¿Puedes describir la ropa que lleva tu compañero? ¿Y su carácter?**

....

6 **¿Puedes entender textos con descripciones sencillas de personas?**

....

7 **¿Puedes hablar de la Familia Real española?**

....

....

8 [18] **Escucha y escribe en la columna correspondiente:**

La ropa	La Familia	El cuerpo

Recuerda que para aprender mejor las palabras, hay que agruparlas y asociarlas.

9 **La actividad con Internet, me ayuda a:**

	Mucho	Bastante	Poco	Nada
• Aprender jugando.	☐	☐	☐	☐
• Conocer formas diferentes de aprender un idioma.	☐	☐	☐	☐
• Aprender nuevo vocabulario.	☐	☐	☐	☐
• Aplicar las nuevas tecnologías en las clases de idiomas.	☐	☐	☐	☐
• Trabajar en grupo.	☐	☐	☐	☐
•	☐	☐	☐	☐
•	☐	☐	☐	☐
•	☐	☐	☐	☐

Unidad

4

¡Vamos, que nos vamos!

Contenidos funcionales
- Expresar necesidades, deseos y preferencias
- Pedir/dar información espacial
- Comparar

Contenidos gramaticales
- Uso de los comparativos: igualdad, superioridad e inferioridad con adjetivos
- Comparativos irregulares
- Verbos: *necesitar, querer, preferir* + infinitivo/sustantivo
- Verbo *ir*
- Preposiciones *en* y *a* con verbos de movimiento
- *Para* y *porque*

Contenidos léxicos
- Transportes
- Viajes
- Establecimientos comerciales y de ocio

Contenidos culturales
- El transporte en España
- El metro de Madrid y el abono transporte
- Tiendas en España
- La fiesta de los Reyes Magos

1 Los medios de transporte

1.1. **Óscar no conoce la ciudad. Quiere ir a la biblioteca del centro pero no sabe cómo ir. Le pregunta a un señor que espera el autobús. Ordena las viñetas.**

1.1.1. [19] **Ahora, escucha y comprueba.**

1.2. **Relaciona los nombres con las fotografías. ¿Puedes pensar en otros medios de transporte que conozcas?**

1. Ir **en** tren
2. Ir **en** avión
3. Ir **en** barco
4. Ir **en** bicicleta
5. Ir **en** coche
6. Ir **en** moto
7. Ir **en** monopatín
8. Ir **a** pie
9. Ir **a** caballo

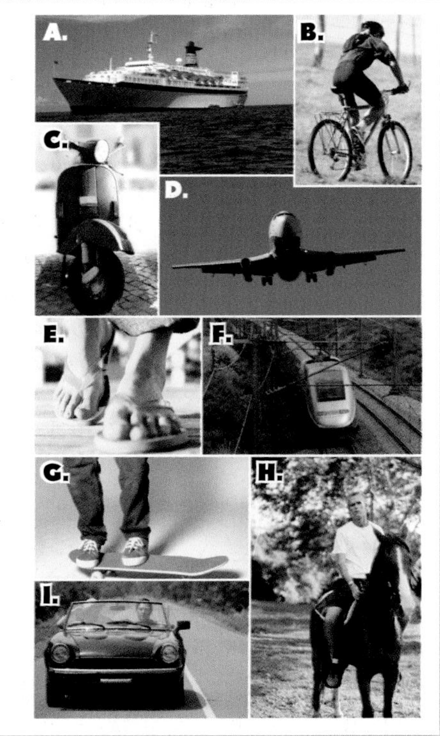

Ir

El verbo ir es irregular

Yo	voy	Nosotros/as	vamos
Tú	vas	Vosotros/as	vais
Él/ella/usted	va	Ellos/ellas/ustedes	van

- La dirección se marca con la preposición **a**:
  *Vamos **a** la playa.*
- El medio de transporte se marca con la preposición **en** (excepto: ***a** pie, **a** caballo*):
  *Voy **en** coche.*

1.3. **Lee la siguiente lista de adjetivos. Todos pueden relacionarse con medios de transporte. Busca en el diccionario o pregunta a tu compañero los significados que no conozcas y luego clasifícalos en positivos (+) y negativos (-).**

+	−		+	−		+	−		+	−	
☐	☐	ecológico	☐	☐	caro	☐	☐	práctico	☐	☐	económico
☐	☐	rápido	☐	☐	peligroso	☐	☐	interesante	☐	☐	puntual
☐	☐	lento	☐	☐	divertido	☐	☐	seguro	☐	☐	contaminante
☐	☐	limpio	☐	☐	cansado	☐	☐	cómodo	☐	☐	barato

1.4. **Habla con tu compañero de las ventajas e inconvenientes de los medios de transporte.**

Ejemplo
El avión es rápido, pero muy contaminante.

2 La comparación

2.1. **Lee esta información. ¿Estás de acuerdo?**

Comparativos regulares

- ***más*** + adjetivo + ***que***:
  *Viajar en avión es **más** caro **que** viajar en tren.*
- ***menos*** + adjetivo + ***que***:
  *Viajar en autobús es **menos** ecológico **que** en bicicleta.*
- ***tan*** + adjetivo + ***como***:
  *Mi hermana es **tan** alta **como** tu hermana.*

~~más bueno~~ → **mejor**
~~más malo~~ → **peor**

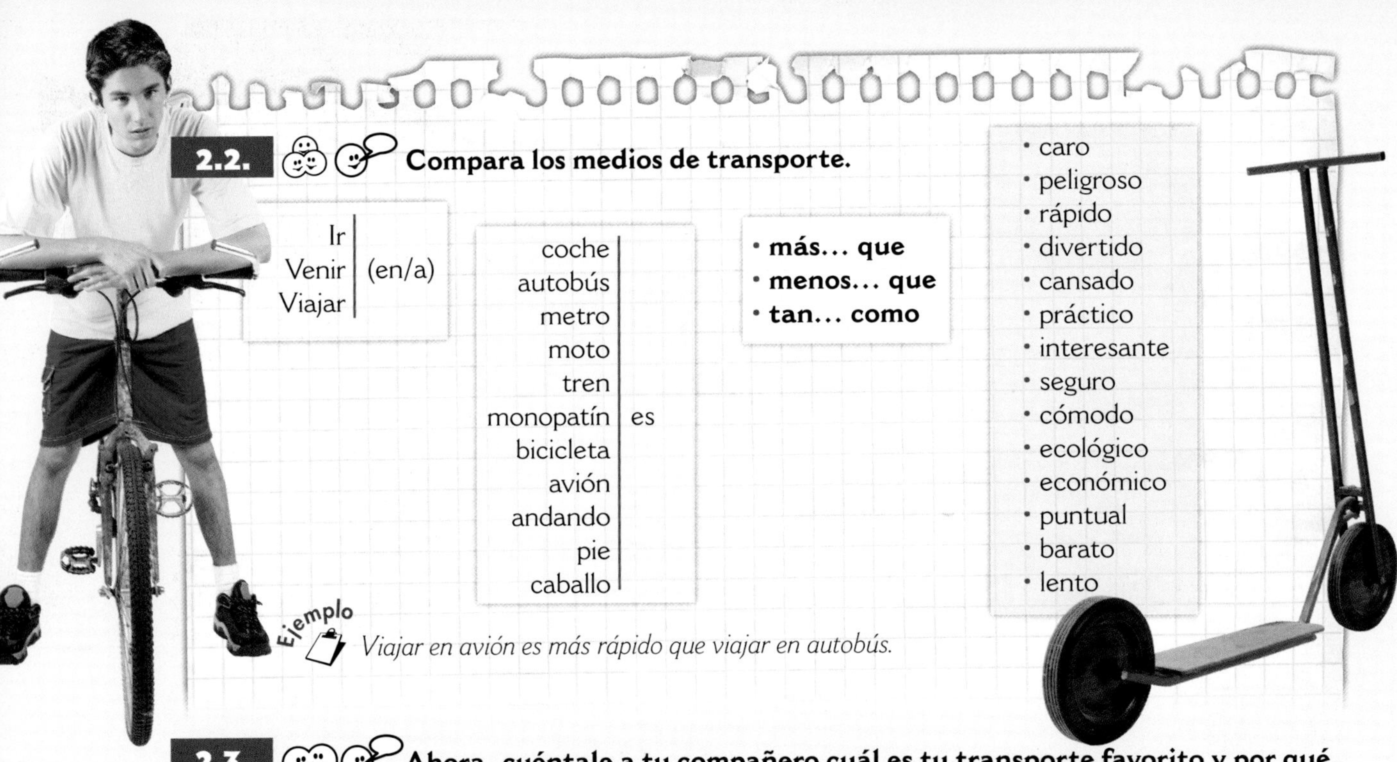

2.2. **Compara los medios de transporte.**

Ir / Venir / Viajar (en/a)	coche autobús metro moto tren monopatín bicicleta avión andando pie caballo	es	• **más... que** • **menos... que** • **tan... como**

- caro
- peligroso
- rápido
- divertido
- cansado
- práctico
- interesante
- seguro
- cómodo
- ecológico
- económico
- puntual
- barato
- lento

Ejemplo: *Viajar en avión es más rápido que viajar en autobús.*

2.3. **Ahora, cuéntale a tu compañero cuál es tu transporte favorito y por qué.**

Ejemplo: *Prefiero viajar en... porque...*
Prefiero el barco/tren porque...

2.4. **Escribe frases comparando estas actividades. Puedes usar los adjetivos de 2.2.**

Ejemplo: Estudiar Matemáticas. / Estudiar Historia. ..*Estudiar Matemáticas es más útil que estudiar Historia.*....

1. Leer un libro. / Ver una película. ....
2. Jugar al ajedrez. / Jugar con la consola. ....
3. Jugar con un perro. / Jugar con un gato. ....
4. Escribir correos. / Escribir cartas. ....
5. Ir a la playa. / Ir a la montaña. ....
6. Jugar al fútbol. / Jugar al baloncesto. ....

3 Expresar necesidades o intereses

Necesitar	**Querer**	**Preferir**
necesit**o**	quier**o**	prefier**o**
necesit**as**	quier**es**	prefier**es**
necesit**a**	quier**e**	prefier**e**
necesit**amos**	quer**emos**	prefer**imos**
necesit**áis**	quer**éis**	prefer**ís**
necesit**an**	quier**en**	prefier**en**

- ***Necesitar*** + **infinitivo**: *Necesito ir a la estación.*
- ***Necesitar*** + **sustantivo**: *Necesito un abono transporte.*
- ***Querer*** + **infinitivo**: *Quiero comprar una rosa.*
- ***Querer*** + **sustantivo**: *Quiero una rosa.*
- ***Preferir*** + **infinitivo**: *Prefiero comer pescado.*
- ***Preferir*** + **sustantivo**: *Prefiero pescado.*

3.1. A continuación, tienes una lista de "cosas" más o menos necesarias para viajar. ¿Puedes añadir tres más? Tu diccionario puede ayudarte.

- Pasaporte
- Dinero
- Tener vacaciones
- Comprar una guía
- Una maleta
- ....
- ....
- ....

3.2. Ahora, dile a tu compañero qué necesitas y qué no de la lista. ¿Estáis de acuerdo? ¿Necesitáis lo mismo?

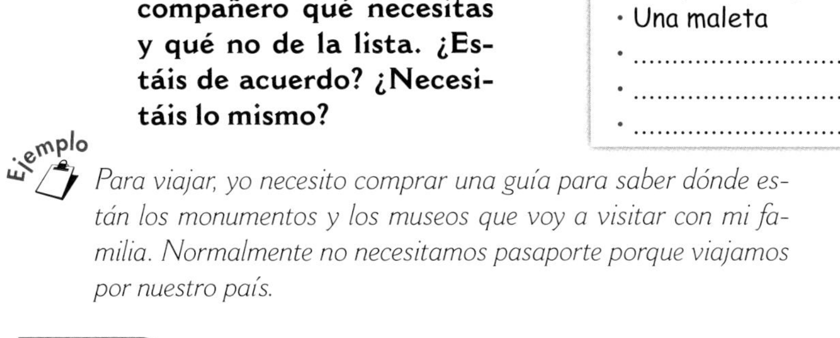

Ejemplo

Para viajar, yo necesito comprar una guía para saber dónde están los monumentos y los museos que voy a visitar con mi familia. Normalmente no necesitamos pasaporte porque viajamos por nuestro país.

4 Algo más sobre transportes

4.1. Observa este billete:

Número: 174623

Viajes todotren

Origen: Destino: Precio:

Fecha salida: Hora: Coche: Asiento:

Viajes Todotren
TRAYECTO IDA Y VUELTA
IVA incluido

174623

4.1.1. Lee este diálogo y completa los datos del billete que aparecen en blanco.

(En la estación)

► Hola, buenos días.
▷ Buenos días, dígame.
► Mire, necesito información sobre los trenes de Madrid a Valladolid.
▷ ¿Para qué día?
► Para el 17 de septiembre.
▷ Hay un tren que sale a las 9.30 horas y llega a las 11.30 horas de la mañana.
► ¿Hay alguno por la tarde?
▷ Sí, hay uno que sale a las 16.30 horas y llega a Valladolid a las 19.30.
► Sí, ese es el que me interesa. ¿Puedo reservar una plaza?
▷ Sí, claro. ¿Ida y vuelta?
► Sí.
▷ Bien, este es el billete. Es el coche 13 y el asiento 35.
► ¿Cuánto es?
▷ Son 40 euros con 50.
► Aquí tiene, muchas gracias.
▷ A usted.

4.2. Lee el siguiente texto y, a continuación, explica cómo es el transporte en tu país.

El transporte en España

La mayoría de los españoles usa el coche para ir al trabajo. Sin embargo, en las grandes ciudades como Madrid y Barcelona, las personas utilizan medios de transporte públicos (metro, autobús y trenes de cercanías). Así hay menos atascos en las carreteras y la gente llega antes a su destino. Son cuatro las ciudades con metro: Madrid, Barcelona, Valencia y Bilbao. En España hay muy pocas ciudades con carriles especiales para bicicleta, aunque, poco a poco, es más frecuente ver a personas que se trasladan en "bici".

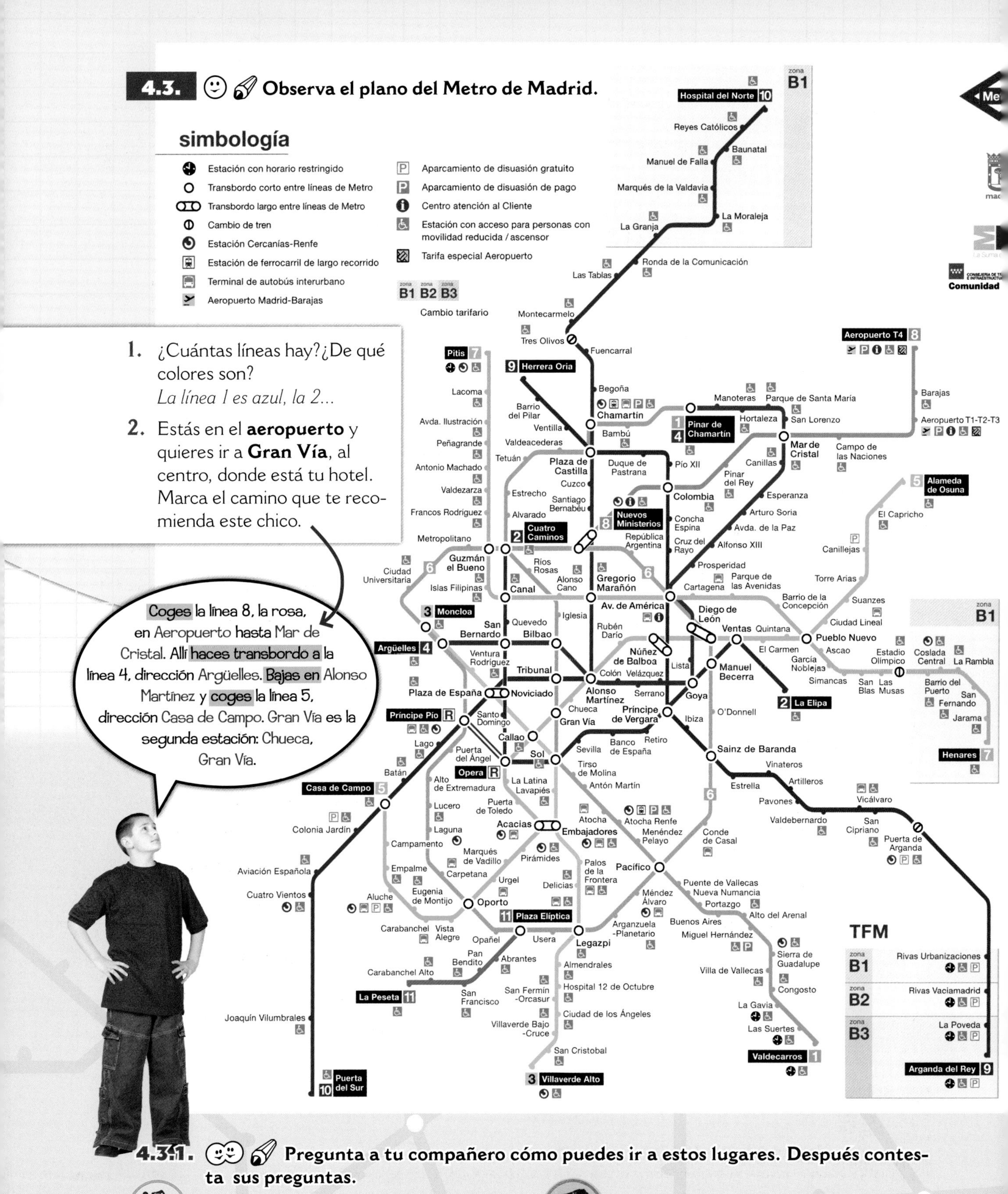

4.3. Observa el plano del Metro de Madrid.

1. ¿Cuántas líneas hay? ¿De qué colores son?
   La línea 1 es azul, la 2...
2. Estás en el **aeropuerto** y quieres ir a **Gran Vía**, al centro, donde está tu hotel. Marca el camino que te recomienda este chico.

4.3.1. Pregunta a tu compañero cómo puedes ir a estos lugares. Después contesta sus preguntas.

Alumno A

1. Estás en la estación de **Sol** y quieres ir al **Museo del Prado** (Metro: **Banco de España**).
2. Estás en la **Plaza de toros** (Metro: **Ventas**) y quieres ir a la **Catedral de la Almudena** (Metro: **Ópera**).

Alumno B

1. Estás en el **Teatro Real** (Metro: **Ópera**) y quieres ir a la **Estación Sur de Autobuses** (Metro: **Méndez Álvaro**).
2. Estás en la estación de **Chamartín** y quieres ir al **Parque del Retiro** (Metro: **Retiro**).

4.4. Rellena esta solicitud con tus datos personales para pedir el abono mensual de transporte.

ABONO TRANSPORTE

SOLICITUD TARJETA ABONO MENSUAL

DATOS A RELLENAR POR EL SOLICITANTE

TIPO DE ABONO: NORMAL ☐ JOVEN ☐ TERCERA EDAD ☐

ZONA DE VALIDEZ: A ☐ B1 ☐ B2 ☐ B3 ☐ C1 ☐ C2 ☐

RECUERDE: ACOMPAÑE UNA FOTOGRAFÍA Y PONGA SU NOMBRE Y APELLIDOS

NO FIJE LA FOTOGRAFÍA

Nombre ______

Apellido 1 ______

Apellido 2 ______

Fecha de nacimiento ______ D.N.I. o pasaporte ______ Teléfono ______

Dirección ______

Código postal ______ Municipio ______

Recogida tarjeta: Estanco ☐ Correo ☐

Causas por las que se solicita la tarjeta: Primera vez ☐ Deterioro ☐ Robo ☐ Cambio tipo abono ☐ Otras ☐

DATOS A RELLENAR POR:

EL CONSORCIO

Tarjeta código ______

LA OFICINA EXPENDEDORA

Punto de venta núm. ______

Fecha solicitud ______

FIRMA DEL SOLICITANTE

POR FAVOR, LEA LAS INSTRUCCIONES Y RELLENE LA SOLICITUD CON LETRA MAYÚSCULA

4.5. [20] **Juan viaja a Santander. Escucha el diálogo que mantiene en la estación de tren.**

4.6. **Practica el diálogo anterior. Te damos otros datos. No mires la información de tu compañero. Antes de empezar, lee tu tarjeta. Si no entiendes todas las palabras, pregunta a tu profesor.**

Alumno A

- Estás en la estación de Atocha, en Madrid.
- Quieres viajar a Barcelona.
- Quieres ir el viernes y volver el domingo.
- Prefieres viajar de noche.
- Quieres litera.

Alumno B

- Trabajas en la estación de Atocha, en Madrid.
- Hay trenes para Barcelona a las 9 de la mañana, a las 13 horas y a las 21.30 horas.
- El viajero puede elegir entre asiento o litera.
- El precio de ida son 63 euros con 75 céntimos.
- El precio de ida y vuelta son 110 euros con 50 céntimos.

5 Un poco de buena pronunciación

5.1. [21] **Escucha y completa con la letra que falta:**

1. Ciu☐ad
2. A☐osto
3. Vi☐ir
4. Ju☐ar
5. Be☐er
6. Ciento ☐os
7. Verda☐ero
8. A☐eni☐a
9. ¿Qué ☐ía es hoy?
10. A☐o☐a☐o

6 La ciudad

6.1. Fíjate en las siguientes fotografías. Con tu compañero completa las tarjetas con el nombre de los objetos y tiendas que representan. Luego relaciónalos.

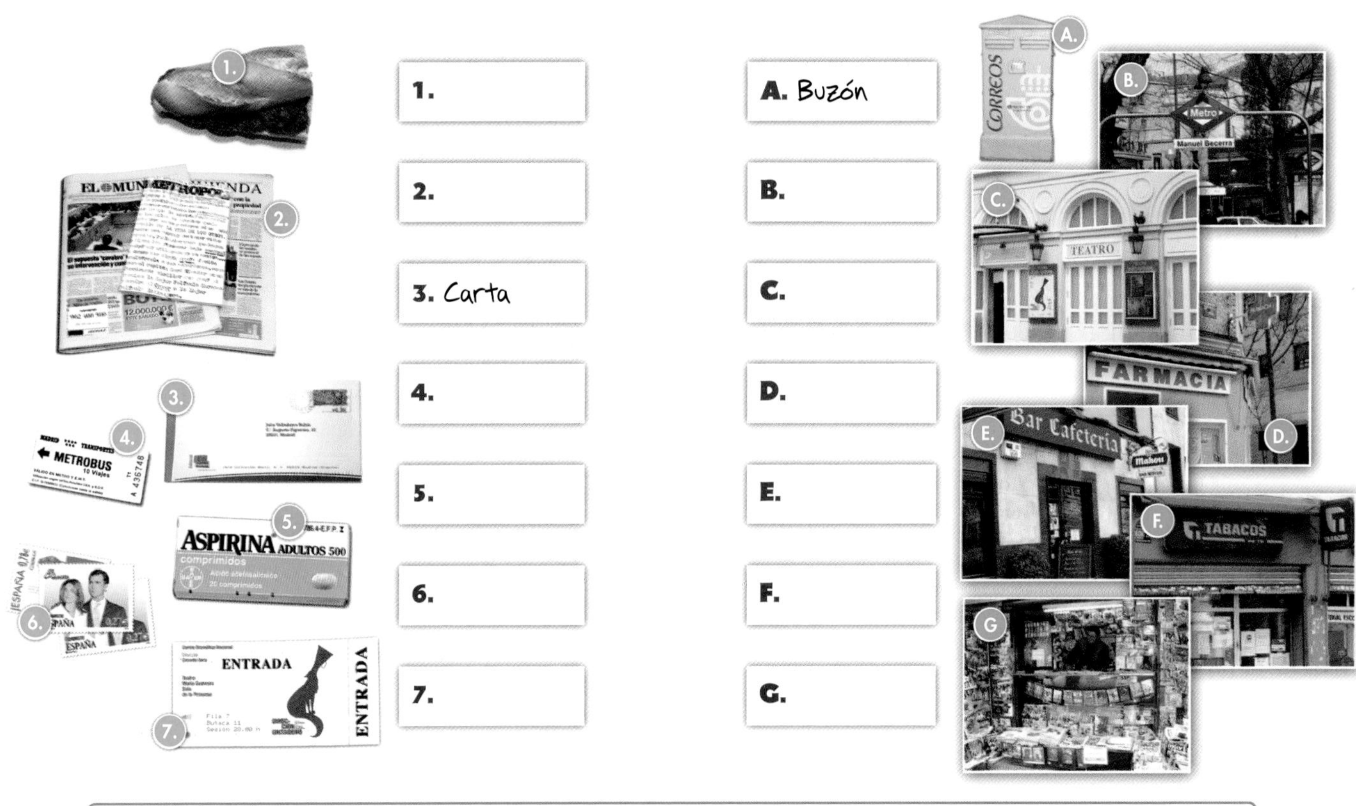

aspirinas • quiosco • periódico • bar • sellos • estanco • farmacia
bocadillo • entrada • taquilla • metrobús • teatro

6.1.1. Ahora relaciona las frases.

1. Voy al estanco
2. Necesito un buzón
3. Entramos en el bar
4. Marisa va a la taquilla
5. Vas a la farmacia
6. Quiero un periódico
7. ¿Necesito ir al teatro

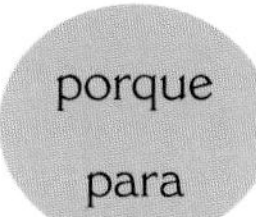

- **a.** comprar aspirinas.
- **b.** necesito unos sellos para Francia.
- **c.** leer las últimas noticias.
- **d.** comprar un metrobús.
- **e.** sacar las entradas?
- **f.** queremos unos bocadillos.
- **g.** enviar esta carta.

6.1.2. ¿Conocéis otros nombres de tiendas en español?

6.2. [22] Escucha y toma notas.

1. ¿Dónde está el quiosco? ➜
2. ¿Dónde hay una comisaría? ➜
3. ¿Dónde está el banco? ➜

6.2.1. [22] **Vuelve a escuchar el diálogo 1 y pon debajo de cada signo la expresión correspondiente.**

S i _ _ _ _ t _ _ _ r _ _ _ o

G _ _ _ s a l a d _ _ _ _ h _

G _ _ _ s a l a i z _ _ _ _ _ d _

7 Pedir y dar información espacial

Pedir información espacial

Usted

- ► Perdon**e**, **¿puede decirme dónde...?**
- ► **Oiga**, por favor, **¿dónde... hay/ está(n)...?**

Tú

- ► Perdon**a**, **¿dónde...?**
- ► **Oye**, por favor, **¿puedes decirme...?**

Dar información espacial

Usted

- ▷ Sí, claro, **mire**...

Tú

- ▷ Sí, claro, **mira**...

- ▷ **Está** cerca/lejos/al lado de/a la derecha/a la izquierda...
- ▷ **Hay** + un/a/os/as + nombre + cerca/lejos...
- ► Vale, gracias.
- ► Muchas gracias.

7.1. **Este es el plano del centro de Salamanca. Con la información de los cuadros y las frases que has aprendido en 6.2.1., indica cómo llegar a:**

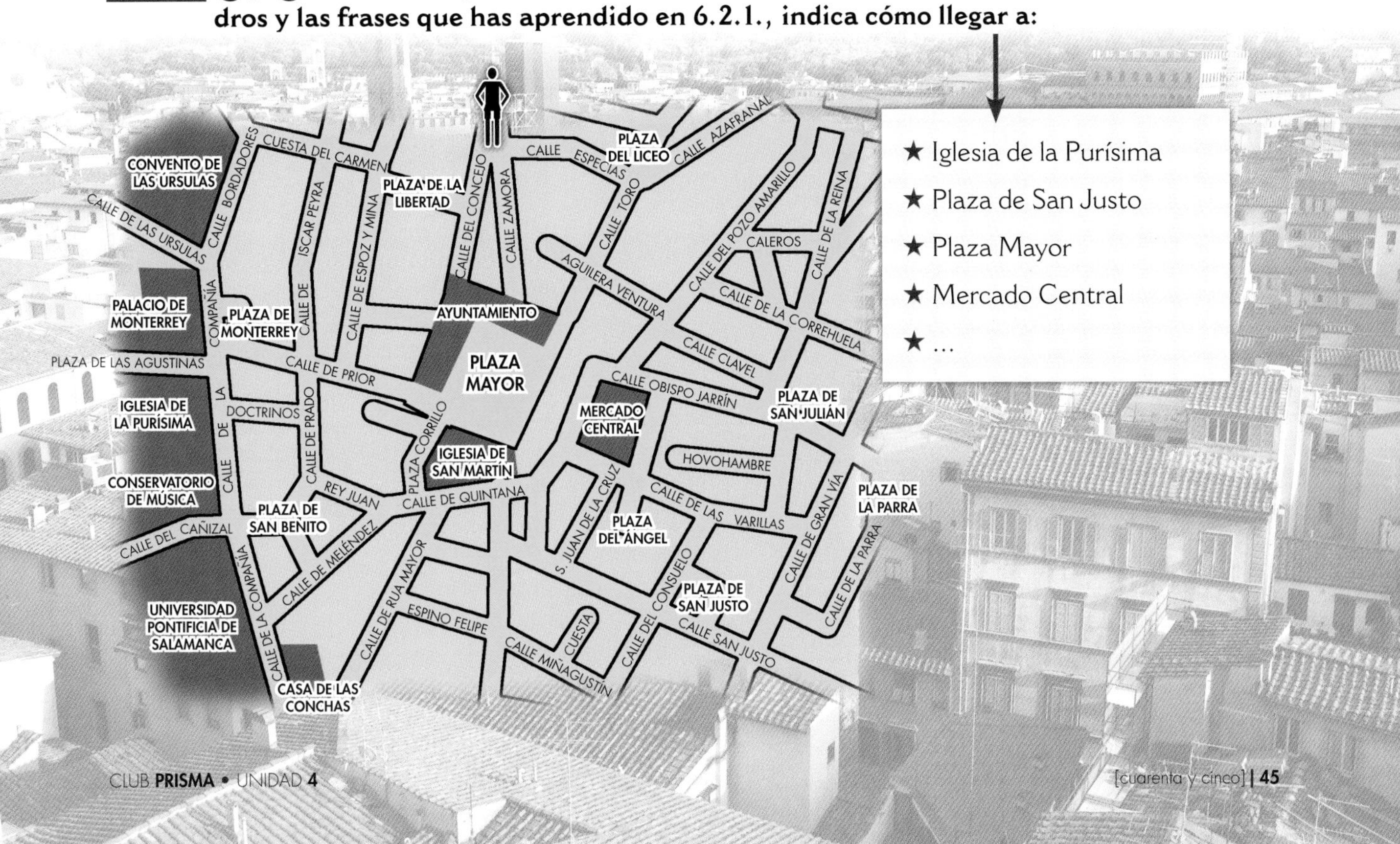

- ★ Iglesia de la Purísima
- ★ Plaza de San Justo
- ★ Plaza Mayor
- ★ Mercado Central
- ★ ...

Tare@s con Internet

Tareas con Internet

1. **Busca en la siguiente página web: http://www.redescolar.ilce.edu.mx/redescolar/act_permanentes/historia/histdeltiempo/pasado/cosavida/p_medios.htm en qué año aparecen los siguientes medios de transporte terrestre.**

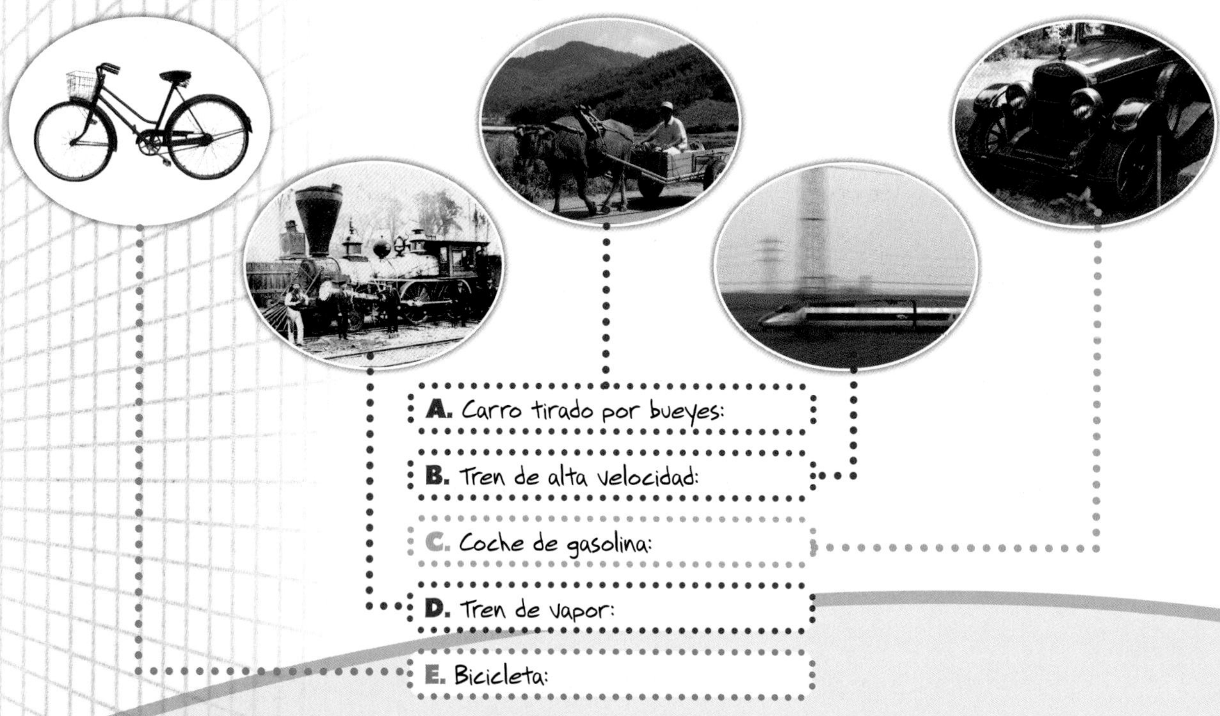

A. Carro tirado por bueyes:

B. Tren de alta velocidad:

C. Coche de gasolina:

D. Tren de vapor:

E. Bicicleta:

2. **Ahora, di si las siguientes afirmaciones son verdaderas o falsas y justifica las respuestas.**

	Verdadero	Falso
1. El carro de bueyes es el primer medio de transporte que inventan los humanos.	☐	☐
2. Los carros de bueyes tienen tres ruedas.	☐	☐
3. La máquina de vapor se mueve a una velocidad de 25 km/h.	☐	☐
4. En 1825 se inaugura en Inglaterra la primera línea pública de ferrocarril.	☐	☐
5. Las ruedas de las primeras bicicletas son iguales.	☐	☐
6. El inventor de la bicicleta es Kirkpatrick Macmillan.	☐	☐
7. En el siglo XIX se inventan los coches de gasolina.	☐	☐
8. Los japoneses son los primeros que hacen un tren de alta velocidad.	☐	☐
9. Los japoneses llaman a este tren "el tren torpedo".	☐	☐

PORTFOLIO
BIOGRAFÍA LINGÜÍSTICA

PROGRESANDO

1 **Escribe una lista con los medios de transporte que recuerdes.**

....

2 **¿Qué criterio de clasificación puedes emplear para ordenarlos?**

....

3 **Escribe cinco adjetivos positivos y cinco negativos y aplícalos a los medios de transporte de la pregunta 1.**

- **Positivos:** ....
- **Negativos:** ....

4 **Escribe ejemplos de comparativos regulares de superioridad, igualdad e inferioridad.**

....

5 **¿Puedes escribir ejemplos con comparativos irregulares?**

....

6 **Escribe cinco cosas que necesitas para aprender español.**

....

7 **¿Eres capaz de escribir tres cosas que prefieres más que otras? Di por qué.**

....

8 **¿Eres capaz de escribir diez palabras relacionadas con la ciudad?**

....

9 **Escribe cinco cosas que quieres hacer en tus próximas vacaciones.**

....

10 **¿Puedes pedir información espacial de manera informal/formal? Da un ejemplo de cada una.**

- **Informal:** ....
- **Formal:** ....

11 **Clasifica el léxico de la unidad por temas. Pon, al lado, una frase que explique cada palabra. Fíjate en el ejemplo:**

- **Campos léxicos:** Medios de transporte.
- **Palabras relacionadas:** Coche.
- **Ejemplo:** Cuando vamos de viaje, mi madre lleva el coche y mi padre mira el mapa.

12 **Fíjate en la portadilla de la unidad y repasa los contenidos que se ofrecen:**

- **¿Cuáles de ellos has aprendido fácilmente?** ....
- **¿Cuáles te han resultado más difíciles?** ....
- **¿Cuáles conocías antes?** ....
- **¿Cuáles son completamente nuevos?** ....
- **¿Crees que necesitas reforzar alguno?** ....

Unidad

¿Tienes hora?

Contenidos funcionales
- Preguntar y decir la hora
- Describir acciones y actividades habituales: horarios, fechas, localización temporal
- Expresar la frecuencia con que se hace algo
- Concertar una cita

Contenidos gramaticales
- Presente de indicativo (verbos irregulares)
- Verbos reflexivos
- Adverbios y expresiones de frecuencia
- Verbo *quedar*

Contenidos léxicos
- Actividades cotidianas y de ocio
- Partes del día
- Meses del año
- Días de la semana

Contenidos culturales
- Los horarios, costumbres y estereotipos sobre España y los españoles
- El ocio en Madrid
- El Museo del Prado

1 ¿Qué haces normalmente?

1.1. **Ordena estas viñetas cronológicamente.**

1.2. **Ahora relaciona las frases con los dibujos. ¿Qué hace Cristina normalmente?**

1. ☐ Cristina se despierta a las 8.05 y desayuna.
2. ☐ Cristina se ducha a las 8.20 y se viste.
3. ☐ Cristina entra en el instituto a las 9.00.
4. ☐ Vuelve a casa a las 16.45 y merienda.
5. ☐ Chatea con el ordenador hasta las 18.30 y juega con su hermano.
6. ☐ Cristina estudia a partir de las 19.00.
7. ☐ Cena con su familia a las 21.00.
8. ☐ Se acuesta a las 23.30.

2 La hora y los horarios

Para hablar de la hora y los horarios

Preguntar la hora
¿Qué hora es? / ¿Tienes hora?

Decir la hora
(Es) La una **(en punto)**.
(Son) Las tres **y cuarto**.
(Son) Las seis **y media**.
(Es) La una **menos** veinticinco.
(Son) Las doce **menos cuarto**.
(Son) Las trece horas y cincuenta minutos (formal).

Preguntar por el momento de la acción
¿A qué hora?

Expresar la duración o el momento de la acción
– De... a... / Desde... hasta...
Estudio de 8 a 2 / desde las 8 hasta las 2.
– A las...
A las cinco de la mañana/tarde...

Partes del día
Por la mañana/tarde/noche.
A mediodía (12.00)/**A medianoche** (24.00).

Culturalmente, en España usamos *a mediodía* para hablar del espacio de tiempo de la comida, entre las 13.00 y las 15.00 de la tarde, normalmente.

Ejemplo *Nos vemos a mediodía y comemos un menú, ¿vale?*

¡Fíjate en el reloj!

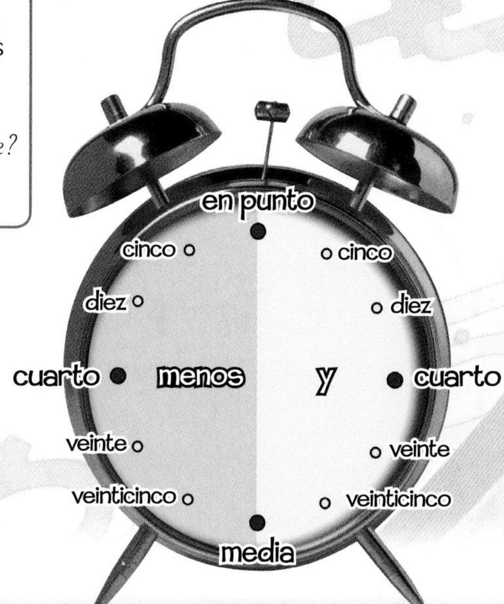

2.1. **¡Concurso de horas! En grupos, vais a dibujar diferentes relojes con sus horas y uno de vosotros lo representará en la pizarra, el grupo contrario tiene que decirlas lo antes posible. Después les toca el turno a ellos. ¡A ver quién gana!**

2.2. **Completa este cuestionario con dos preguntas más y hazle las preguntas a tu compañero.**

1. ¿A qué hora te levantas y qué desayunas? ¿A qué hora te acuestas?
2. ¿Te duchas por la mañana o por la tarde?
3. ¿A qué hora sales de casa por la mañana y a qué hora llegas?
4. ¿Qué haces en tu tiempo libre?
5. ....
....
6. ....
....

3 El presente

Usamos el presente para:

Hablar de acciones habituales
(lo que haces cada día)
► *Me levanto pronto, me ducho, desayuno y voy al instituto.*

Hablar de lo que haces en este momento
► *¿Qué haces?*
▷ *Leo un libro, ¿no lo ves?*

Verbos regulares en presente de indicativo

3.1. Con tu compañero, completa el cuadro.

Verbos regulares en presente de indicativo

Trabajar	Comer	Vivir
trabaj**o**		viv**o**
trabaj**as**	com**es**	
	com**e**	viv**e**
trabaj**amos**		
trabaj**áis**	com**éis**	viv**ís**
	com**en**	

3.2. Con tu compañero, completa el cuadro.

Verbos reflexivos (acción sobre uno mismo)

	Ducharse		Lavarse	
Yo	**me**	duch**o**		
Tú	**te**	duch**as**		
Él/ella/usted	**se**	duch**a**		
Nosotros/as	**nos**	duch**amos**		
Vosotros/as	**os**	duch**áis**		
Ellos/ellas/ustedes	**se**	duch**an**		

Verbos irregulares en presente de indicativo

A. Cambios vocálicos

3.3. Con tu compañero, completa el cuadro.

	e > ie	o > ue	e > i	u > ue
	querer	**poder**	**pedir**	**jugar**
Yo	qu**ie**ro	p**ue**do	p**i**do	
Tú	qu**ie**res			j**ue**gas
Él/ella/usted		p**ue**de	p**i**de	j**ue**ga
Nosotros/as	queremos		pedimos	jugamos
Vosotros/as	queréis	podéis	pedís	jugáis
Ellos/ellas/ustedes		p**ue**den		j**ue**gan

CONTINÚA

- En los verbos que tienen irregularidad vocálica las personas .... y .... no cambian.
- Otros verbos:
  - e > ie: *querer, comenzar, empezar, entender, perder, pensar, despertarse.*
  - o > ue: *poder, encontrar, volver, dormir, costar, recordar, acostarse.*
  - e > i: *pedir, servir, vestirse.*

B. Verbos con irregularidad en la primera persona

3.4. **Relaciona la primera persona con el infinitivo.**

	estar
Yo	**estoy**
Tú	estás
Él/ella/usted	está
Nosotros/as	estamos
Vosotros/as	estáis
Ellos/ellas/ustedes	están

1. conozco
2. traduzco
3. sé
4. hago
5. salgo
6. pongo
7. doy

- a. dar
- b. hacer
- c. traducir
- d. salir
- e. conocer
- f. saber
- g. poner

- Estos verbos tienen irregular la .... persona.
- Otros verbos como *conocer:*
  - *producir* ➡ *produzco; reducir* ➡ *reduzco; conducir* ➡ *conduzco...*

C. Verbos con más de una irregularidad

3.5. **Con tu compañero, completa el cuadro.**

	venir	tener	decir	oír
Yo	**vengo**	**tengo**		**oigo**
Tú	vienes		dices	oyes
Él/ella/usted	viene	tiene	dice	oye
Nosotros/as	venimos		decimos	oímos
Vosotros/as	venís	tenéis	decís	oís
Ellos/ellas/ustedes	vienen			oyen

D. Verbos totalmente irregulares

3.6. **Completa.**

	ir	ser
Yo	**voy**	**soy**
Tú		**eres**
Él/ella/usted	**va**	**es**
Nosotros/as	**vamos**	**somos**
Vosotros/as		**sois**
Ellos/ellas/ustedes		**son**

¡Atención a la ortografía!
Algunos verbos cambian por razones ortográficas:
Ejemplo
Coger: cojo, coges...; Seguir: sigo, sigues...

E. Otras irregularidades

3.7. **Completa.**

i > y entre dos vocales

	construir	destruir
Yo	construyo	
Tú	construyes	
Él/ella/usted	construye	
Nosotros/as	construimos	
Vosotros/as	construís	
Ellos/ellas/ustedes	construyen	

- Otros verbos: *huir, intuir...*

4 ¿Cuándo? ¿Con qué frecuencia?

4.1. Mira esta foto y contesta.

- ¿Qué hacen estas chicas?
- ¿Qué día de la semana es?
- ¿Son amigas? ¿Compañeras de clase?
- ¿Cómo crees que es el carácter de estas chicas españolas?
- ¿Puede ser una foto de tu país?

PORTFOLIO DOSSIER

4.1.1. **¿Cómo crees que son los españoles? Anotad en la pizarra las características que se comenten.**

4.1.2. **Lee el siguiente texto.**

Los españoles, por lo general, son gente sincera y hospitalaria. Charlan mucho con sus amigos, comen y cenan fuera de casa cuando celebran algo y los fines de semana es costumbre, si se puede, echarse la siesta después de comer. A los españoles les gusta vivir en su país, disfrutar de sus pueblos, montañas y playas y, por supuesto, están orgullosos de su cultura. España es un país mediterráneo, con muchos meses de sol al año y esto, según dicen, determina el carácter abierto de la gente y el estilo de vida.

4.1.3. **¿Verdadero o falso? Justifica tu respuesta con la información del texto.**

	Verdadero	Falso
1. Los españoles son, por lo general, cerrados.	☐	☐
2. Los españoles son muy habladores.	☐	☐
3. En España se cena siempre fuera de casa.	☐	☐
4. Todos los días la gente se echa la siesta.	☐	☐
5. A los españoles les gusta vivir en España.	☐	☐
6. El clima determina el carácter de las personas.	☐	☐
7. A los españoles no les gusta ni su cultura ni sus paisajes.	☐	☐
8. Todos los países son iguales.	☐	☐

PORTFOLIO DOSSIER

4.1.4. **Después de leer el texto, ¿has cambiado de opinión con respecto a la forma de ser de los españoles? ¿Puedes escribir un texto explicando cómo son las personas en tu país? ¿Se parecen a los españoles?**

4.2. Ahora ya conoces un poco mejor las costumbres españolas. Imagínate que tu compañero es español. Pregúntale por sus costumbres.

Ejemplo
¿Qué deportes practicas?

- ¿A qué hora...?
- ¿Cuándo...?
- ¿Qué haces...?
- ¿Qué...?
- ¿Dónde...?
- ¿Con quién...?
- ¿Cómo...?

- Viernes por la tarde
- Desayunar
- Hora de comida
- Horario de clase
- Hora de levantarse los fines de semana
- Deportes que practica
- Domingos por la mañana
- Ir al cine
- Volver a casa cuando sale
- Pasar el tiempo libre

Expresar el número de veces que se hace algo

Expresiones de frecuencia

- ●●●●● Siempre
- ○●●●● Muchas veces
- ○○●●● Algunas veces
- ○○○●● Muy pocas veces
- ○○○○● Casi nunca
- ○○○○○ Nunca

Días de la semana

- el/los lunes
- el/los martes
- el/los miércoles
- el/los jueves
- el/los viernes
- el/los sábado/s
- el/los domingo/s

Meses del año

- enero
- febrero
- marzo
- abril
- mayo
- junio
- julio
- agosto
- septiembre
- octubre
- noviembre
- diciembre

Mayo

L	M	X	J	V	S	D
	1	2	3	4	5	6
7	8	9	10	11	12	13
14	15	16	17	18	19	20
21	22	23	24	25	26	27
28	29	30	31			

Julio

L	M	X	J	V	S	D
						1
2	3	4	5	6	7	8
9	10	11	12	13	14	15
16	17	18	19	20	21	22
23	24	25	26	27	28	29
30	31					

Junio

L	M	X	J	V	S	D
				1	2	3
4	5	6	7	8	9	10
11	12	13	14	15	16	17
18	19	20	21	22	23	24
25	26	27	28	29	30	

4.3. [23] Escucha el siguiente diálogo de dos jóvenes españoles y completa esta agenda.

SEPTIEMBRE

17

L	M	X	J	V	S	D
			1	2	3	4
5	6	7	8	9	10	11
12	13	14	15	16	17	18
19	20	21	22	23	24	25
26	27	28	29	30		

SÁBADO

- Por la mañana...
- Por la tarde...
- Por la noche...

SEPTIEMBRE

18

L	M	X	J	V	S	D
			1	2	3	4
5	6	7	8	9	10	11
12	13	14	15	16	17	18
19	20	21	22	23	24	25
26	27	28	29	30		

DOMINGO

- Por la mañana...
- Por la tarde...
- Por la noche...

4.3.1. [23] **Vuelve a escuchar y clasifica las actividades que mencionan en los siguientes cuadros.**

Actividades culturales y deportivas:

Actividades que realizan en casa:

4.4. [24] **Escucha atentamente los datos de esta encuesta sobre algunos aspectos de la vida de los españoles y relaciona la información.**

	La mayoría	Muchos	Pocos	Muy pocos
1. ¿Se levanta temprano?	☐	☐	☐	☐
2. ¿Sale de noche todos los días?	☐	☐	☐	☐
3. ¿Va a los toros?	☐	☐	☐	☐
4. ¿Ve la televisión por la noche?	☐	☐	☐	☐
5. ¿Va todas las semanas al cine?	☐	☐	☐	☐
6. ¿Duerme todos los días la siesta?	☐	☐	☐	☐
7. ¿Viaja todos los fines de semana?	☐	☐	☐	☐
8. ¿Practica a menudo deporte?	☐	☐	☐	☐
9. ¿Desayuna solamente café con leche?	☐	☐	☐	☐

¿Cómo son estas costumbres en tu país?

4.5. **Elige un personaje famoso y describe un día normal en su vida. Tus compañeros tienen que adivinar quién es.**

4.5.1. **Ahora vas a hacer lo mismo con un compañero de clase (puedes incluir a tu profesor). ¡A ver si alguien lo adivina!**

4.6. [25] **Julia quiere ir al cine, pero no le gusta ir sola. ¿Encuentra a alguien para ir con ella? Escucha y marca.**

	Marta	Joaquín	Rosa
No puede ir al cine	☐	☐	☐
Quedan para el cine	☐	☐	☐
No está en casa	☐	☐	☐

Usamos el verbo .... para establecer el horario, el lugar, la persona... con la que tenemos un encuentro o una cita.

- ¿A qué hora ....?
- ¿Con quién ....?
- ¿Dónde ....?

Para proponer actividades y hacer planes usamos: **¿Por qué no...?**

4.7.  Queda con tus compañeros. Hay diferentes propuestas.

 **Tienes tres entradas para un partido de fútbol.**

B **Tienes dos entradas para el cine. Para el sábado a las 8.30 de la tarde.**

C **Tienes dos invitaciones para ir a esquiar. El viernes de 10 a 8 de la tarde.**

D **Tienes cuatro entradas para el concierto de El Canto del Loco.**

Tare@s con Internet

1. **Este fin de semana estás en Madrid con un amigo. Entra en la página web: http://www.munimadrid.es y busca en la sección de Cultura y ocio la agenda mensual de actividades. Escoge al menos tres para realizar este fin de semana.**

Actividad	Lugar	Horario	Precio

2. **Ahora, propónselas a tu compañero y decidid dónde vais a ir.**

3. **Ahora vas a conocer un poco el Museo del Prado. Entra en la página web del Museo del Prado y di si las siguientes afirmaciones son verdaderas o falsas y justifica tu respuesta, anotando la información correcta.**

	Verdadero	Falso
1. El Museo del Prado abre todos los días.	☐	☐
2. Todas las entradas tienen el mismo precio.	☐	☐
3. La entrada es gratis algunos días del año.	☐	☐
4. Se puede llegar al museo solo en metro o en autobús.	☐	☐
5. El museo cuenta con una gran biblioteca especializada en pintura española, italiana, flamenca, holandesa.	☐	☐
6. El museo ofrece exposiciones temporales.	☐	☐

4. **Ahora continúa navegando por las páginas del museo y busca:**
   - Una exposición para visitar este fin de semana.
   - Tres datos sobre el museo (histórico, geográfico, de actividades...) para contárselo a tus compañeros.
   - ¿Qué es el boletín del Museo del Prado? Escribe su definición.

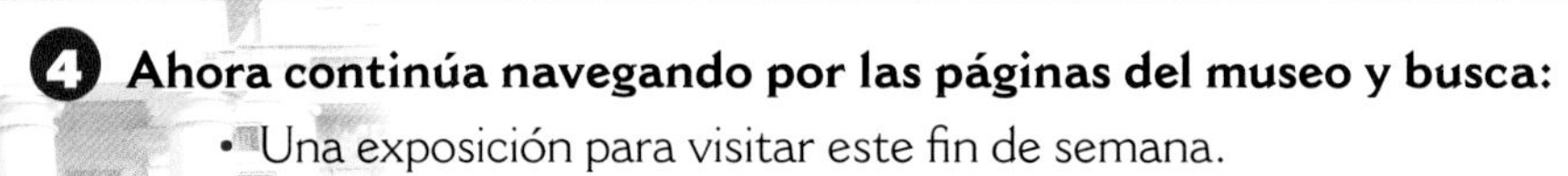

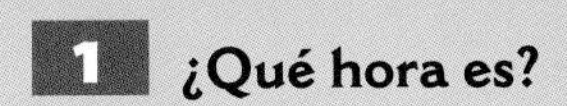

1 ¿Qué hora es?

....

2 ¿Puedes explicar qué actividades realizas normalmente antes de las 16.00 durante la semana?

....

3 ¿Qué verbos irregulares has aprendido en esta unidad?

....

4 Pon un ejemplo de cada una de las cuatro clases de irregularidad vocálica de los verbos en presente que conoces.

....

5 Ordena los siguientes adverbios de mayor a menor frecuencia:

Muy pocas veces • Casi nunca • Siempre • Algunas veces • Nunca • Muchas veces

....

6 Escribe tres actividades que nunca haces y tres que haces con mucha frecuencia.

- **Nunca:** ....
- **Mucha frecuencia:** ....

7 Haz una pequeña lista de actividades (deportivas, culturales...) que puede realizar un joven de tu edad y que has aprendido en esta unidad.

....

8 ¿Verdadero (V) o falso (F)? Justifica tu respuesta.

a. Los españoles son personas muy caseras y no salen mucho. .... V F
b. Los españoles son personas muy abiertas y amables. .... V F
c. El carácter de los españoles no está determinado por su clima. .... V F
d. España es uno de los países de Europa donde la gente se acuesta más temprano. V F
e. Por lo general, los españoles desayunan poco. .... V F

9 ¿Cuáles son los días de la semana?

....

10 ¿En qué mes del año estamos?

....

11 Corrige los errores de este texto:

Ana levanta todos los días muy temprano, a las sete de la mañana. Se ducha, se viste, desayuna y sale de la casa. Coje el autobús a las ocho y media y entra en el colegio a los nueve. Come nunca en casa y sale a las cinco por la tarde. Antes de regresar a su casa, Ana juga al baloncesto con sus amigas.

12 ¿Qué has aprendido en esta unidad? ¿Qué te ha resultado más difícil? ¿Y más fácil?

....

Unidad 6

¿Te gusta?

Contenidos funcionales
- Expresar gustos y preferencias
- Expresar acuerdo y desacuerdo
- Pedir algo en un restaurante, bar...
- Expresar dolor o malestar

Contenidos gramaticales
- Verbos *gustar, encantar...*
- Verbo *doler*
- Pronombres de objeto indirecto + *gustar, encantar, doler*
- Adverbios: *también/tampoco*

Contenidos léxicos
- Ocio y tiempo libre
- Comidas y alimentos
- Partes del cuerpo
- En el médico

Contenidos culturales
- Gastronomía española
- Hábitos alimenticios en España
- Los bares en España
- Barcelona y alrededores
- El ocio y la juventud española

1 Ocio y tiempo libre

1.1. ¿Qué actividades de ocio conoces?

1.2. Lee el siguiente texto y contesta las preguntas.

Juan y Carmen son dos hermanos con gustos diferentes. A Juan le gusta el fútbol, ver la tele y jugar con la *Play Station*. No le gusta nada leer. Le encanta salir de excursión y viajar con su familia en el coche nuevo de su padre. A Carmen le encanta leer y le gustan las películas de ciencia-ficción, ir a conciertos y chatear con sus amigas. También le gusta salir de excursión con su familia.

1. ¿Qué le gusta a él? ....
2. ¿Qué le gusta a ella? ....
3. ¿Qué te gusta a ti? ....

(A mí)	**me**	
(A ti)	**te**	**gusta** el cine
(A él/ella/usted)	**le**	**gusta** jugar al fútbol
(A nosotros/as)	**nos**	**gustan** las motos
(A vosotros/as)	**os**	
(A ellos/ellas/ustedes)	**les**	

Igual que *gustar* → *encantar*

Para marcar la intensidad usamos:
Me gusta ***muchísimo*** *el cine.*
Te gusta ***mucho*** *bailar.*
Le gustan ***bastante*** *los pasteles.*
No *nos gustan* ***demasiado*** *los deportes.*
No *os gusta* ***nada*** *viajar.*

1.3. [26] **Escucha esta canción titulada *¿Quieres salir conmigo a cenar?* y completa el cuadro.**

	Le gusta:	No le gusta:
A él		
A ella		

1.4. **Escribe cinco cosas que te gustan. Después, pregunta por la clase y encuentra compañeros con tus mismos gustos y con gustos diferentes.**

1.5. **¿Recuerdas el vocabulario de ocio y tiempo libre? Escribe en cada ilustración el verbo correspondiente: tomar, ver, ir o jugar.**

1.5.1. **Ahora pregunta a tu compañero y di una cosa que:**

le encanta......................	
le gusta mucho...............	
no le gusta demasiado.......	
no le gusta nada	

2 Para gustos, los colores

2.1. Lee los siguientes textos sobre estos personajes.

Dani Carreras
motorista

A Dani le encantan las motos, siempre está cerca de los circuitos. También le gusta montar en bici. No va a las discotecas porque no le gustan mucho, prefiere quedarse en casa con sus amigos. Todas las mañanas toma un ColaCao para desayunar, también come tostadas y, a veces, galletas. Para comer le encanta la paella que hace su madre, pero no le gustan nada las ensaladas.

Fernando Marcagoles
fútbolista

Fernando desayuna fuerte todas las mañanas. Normalmente toma leche, pan tostado, jamón, queso y fruta. A Fernando le encanta conducir, pero a veces coge el metro para ir a entrenar. Le gusta hablar con la gente en la calle y firmar autógrafos. Le gusta mucho ir al cine y también ir a conciertos de música con sus amigos.

Sus platos preferidos son la paella y la merluza a la gallega. No le gustan las verduras ni las legumbres.

Almudena Pasarelas
modelo

A Almudena le encanta cuidarse. Va al gimnasio tres veces por semana y los fines de semana practica el esquí, monta a caballo y también le gusta el submarinismo.

Para comer, a Almudena le gustan las ensaladas y todo tipo de pescados. No le gustan las comidas grasas y siempre bebe agua. A Almudena le encantan los dulces, pero tiene que controlar su peso. Es una apasionada de la cocina mexicana. Su plato preferido son los tacos.

2.1.1. Di si las siguientes afirmaciones son verdaderas o falsas y justifica tu respuesta.

	Verdadero	Falso
1. A Almudena y a Dani les gustan las ensaladas.		
2. A Fernando no le gusta conducir.		
3. A Dani le encanta la paella.		
4. A Almudena no le gustan los dulces.		
5. Fernando desayuna huevos con bacón.		
6. A Fernando le encanta la paella.		
7. A Dani le gusta ir a la discoteca.		
8. A Dani no le gusta estar con sus amigos.		
9. A Fernando le gusta mucho ir a conciertos de música.		
10. Fernando y Almudena hacen deporte.		

2.2. Escribe sobre los gustos de algún personaje famoso de tu país, un familiar o un personaje imaginario.

1. A la profesora le gusta el salmón.
2. Al abogado le gusta la música pop.
3. A Juan le encanta el fútbol.
4. Juan no es abogado.
5. A Antonio le gusta comer bocadillos.
6. Al que le gusta la paella es periodista.
7. A Ana le gustan mucho las películas de ciencia-ficción.

2.3. **Una cuestión de lógica. Lee las frases y completa el cuadro.**

Nombre	Profesión	Comida	Ocio

2.4. **Observa esta encuesta sobre las actividades de ocio más frecuentes de la juventud española. Ordénala según tus preferencias y coméntala con tu compañero.**

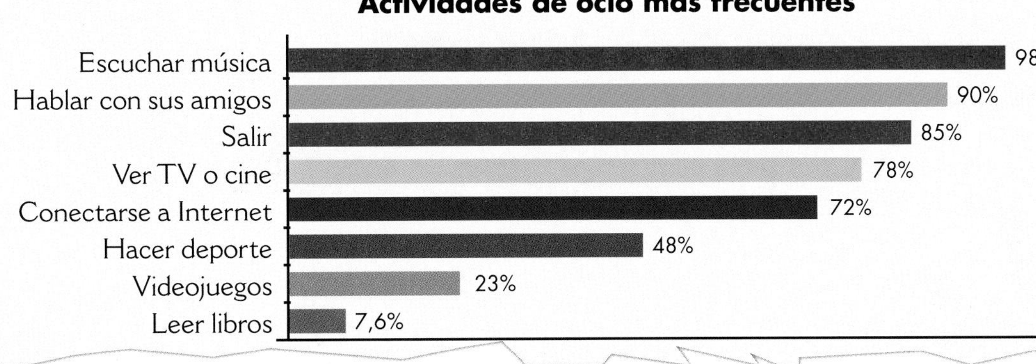

2.5. **Lee este anuncio de la sección de contactos.**

Chica francesa de 15 años quiere mantener correspondencia con chicos y chicas de 14 a 16 años. Me encantan los animales, me gusta mucho ir al cine y salir con mis amigos pero no me gusta mucho la música "tecno".
Escribir a: Marie Gire. C/ Agapito Revilla n.º 63, 34021 Palencia

2.5.1. **Ahora escribe tú un anuncio para buscar amigos por correspondencia o e-mail. Después pega tu anuncio en el tablón de la clase, elige uno que te guste y responde al anuncio.**

3 Las comidas en España

3.1. **Lee los siguientes textos sobre los hábitos alimenticios de los españoles.**

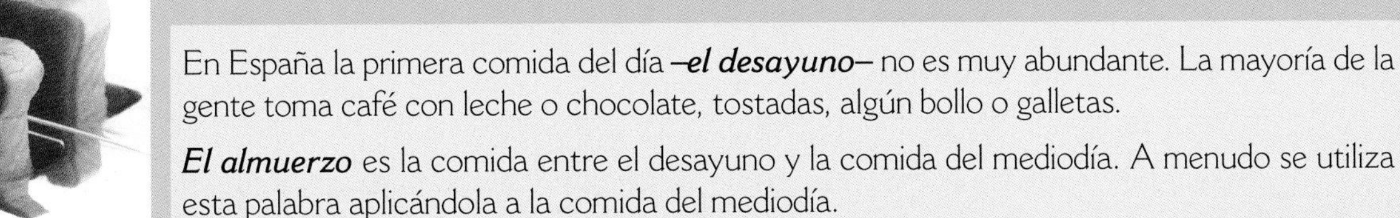

En España la primera comida del día –***el desayuno***– no es muy abundante. La mayoría de la gente toma café con leche o chocolate, tostadas, algún bollo o galletas.

El almuerzo es la comida entre el desayuno y la comida del mediodía. A menudo se utiliza esta palabra aplicándola a la comida del mediodía.

CONTINÚA

La comida, en España, es la comida principal del día. Se toma un primer plato: verduras, legumbres, arroz... y un segundo plato: carne o pescado. A continuación se toma el postre: algo de fruta o algún dulce. Es costumbre acompañar la comida con pan y tomar café después del postre.

La merienda es habitual a media tarde. Entre los niños es frecuente tomar un bocadillo.

La última comida del día es ***la cena***. Se toma algo ligero como sopa, verduras, huevos, queso, fruta...

3.2. **Escribe un texto comparando la dieta española con las costumbres alimenticias de tu país.**

PORTFOLIO DOSSIER

Ejemplo

En mi país se desayuna más fuerte que en España. Generalmente...

¡Recuerda! Para comparar dos cosas:

- *Esto es **más** bonito **que** eso.*
- *Tu hermano es **tan** alto **como** el mío.*
- *Eso me gusta **menos que** esto.*

3.3. **Clasifica los productos. Puedes usar el diccionario.**

- queso
- morcilla
- cordero
- atún
- lechuga
- alubias
- leche
- naranjas
- sardinas
- peras
- manzanas
- chorizo
- jamón
- merluza
- ternera
- cebollas
- tomates
- mejillones
- fresas
- calabacín
- yogur
- ajo
- repollo
- coliflor
- chuletas de cerdo
- uvas
- pimientos
- gambas

Verduras y legumbres

Carnes y fiambres

Productos lácteos

Frutas

Pescados y mariscos

3.3.1. **Ahora, haz una encuesta entre tus compañeros para saber qué alimentos les gustan más y cuáles menos, y también para saber quién tiene unos gustos más parecidos a los tuyos.**

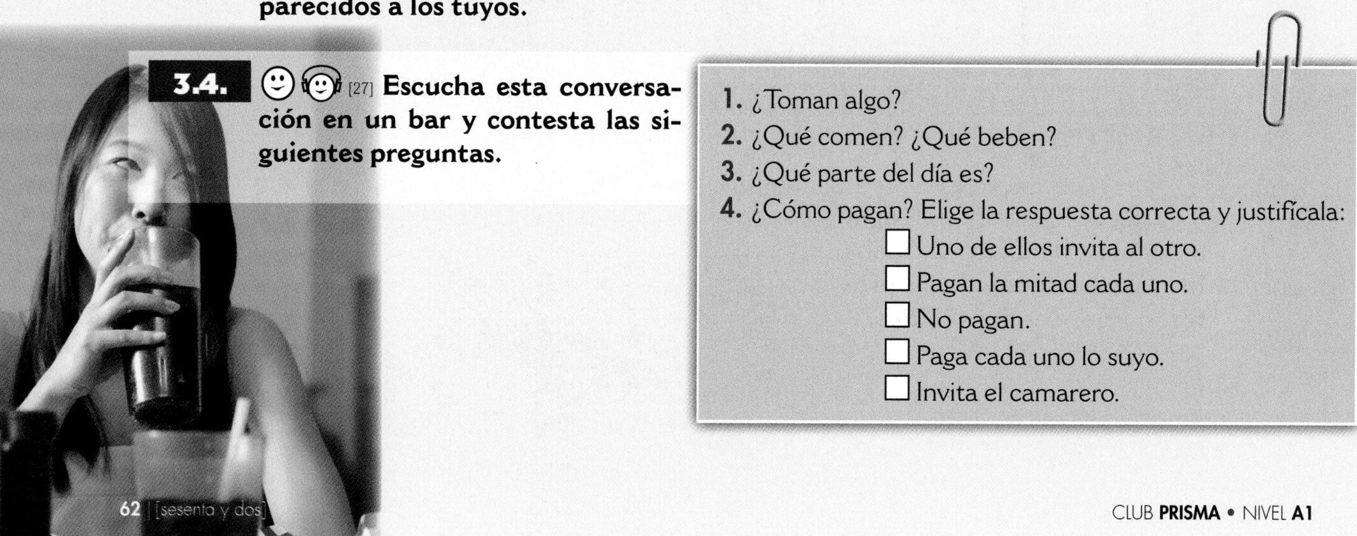

3.4. [27] **Escucha esta conversación en un bar y contesta las siguientes preguntas.**

1. ¿Toman algo?
2. ¿Qué comen? ¿Qué beben?
3. ¿Qué parte del día es?
4. ¿Cómo pagan? Elige la respuesta correcta y justifícala:
   - ☐ Uno de ellos invita al otro.
   - ☐ Pagan la mitad cada uno.
   - ☐ No pagan.
   - ☐ Paga cada uno lo suyo.
   - ☐ Invita el camarero.

3.5. [28] **¿Qué se puede tomar en un restaurante? Mira el menú y pregunta el vocabulario que no conozcas. A continuación, escucha esta conversación en un restaurante y completa la información.**

	Ella	Él
De primero		
De segundo		
¿Necesita algo?		
De postre		
¿Toma algo más?		

Menú del día

Primeros
- Paella
- Sopa
- Guisantes con jamón
- Espárragos
- Ensalada mixta

Segundos
- Escalope con patatas
- Pollo asado
- Calamares a la romana
- Trucha con jamón

Postres
- Fruta del tiempo
- Arroz con leche

3.5.1. **Estáis en un restaurante y tenéis que pedir la comida. Uno de vosotros es el camarero. El menú os puede ayudar.**

4 El cuerpo

4.1. **Estas son las partes del cuerpo, pero ¿sabes qué artículo llevan? Escribe con tu compañero los artículos.**

PORTFOLIO DOSSIER

Ejemplo
El pie, los pies (son dos).

4.2. **Tapa el dibujo anterior y completa con las partes del cuerpo.**

PORTFOLIO DOSSIER

4.3. **Ahora vamos a jugar a "Simón dice...". Escucha las instrucciones de tu profesor. Fíjate en los dibujos.**

5 Me duele, doctor

5.1. Relaciona las frases con los dibujos.

- [ ] 1. Estoy mareado
- [ ] 2. Estoy cansado
- [ ] 3. Tengo gripe
- [ ] 4. Tengo tos
- [ ] 5. Tengo fiebre

5.2. Mira a estas personas. No están bien. ¿Qué les duele?

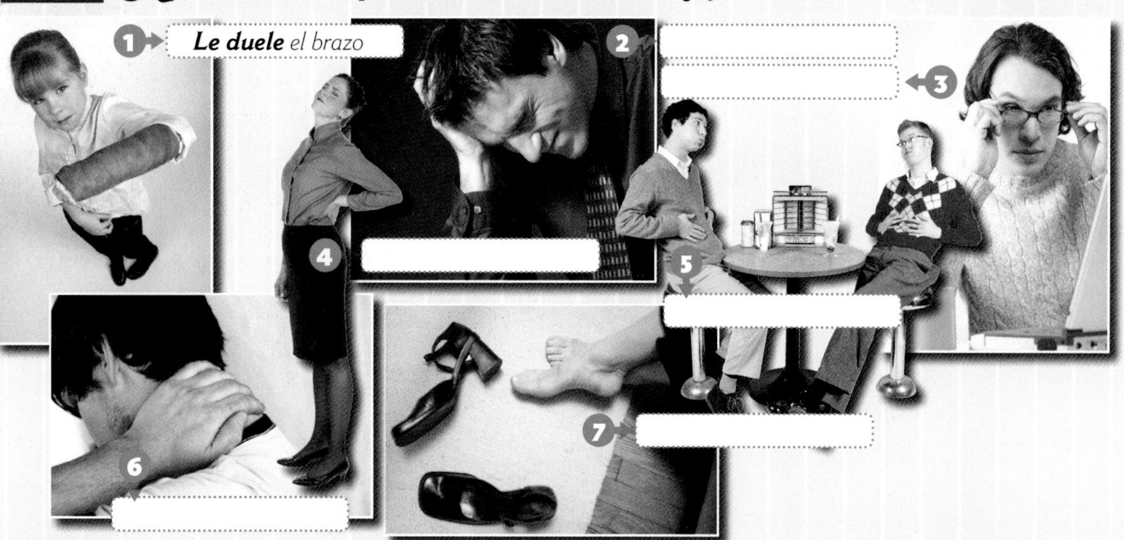

A veces nuestro cuerpo no está bien y nos duele alguna parte:

- *Me duele* + nombre singular
  – *Me duele el estómago.*
- *Me duelen* + nombre plural
  – *Me duelen los pies.*

5.3. Relaciona.

1. Me duele •
2. Me duelen •

- • **a.** los brazos
- • **b.** la nariz
- • **c.** los oídos
- • **d.** la espalda
- • **e.** el cuello
- • **f.** los dedos
- • **g.** la tripa

5.4. Relaciona.

1. Me duele	**a.** Pedro tiene dolor
2. Te duele	**b.** Tenemos dolor
3. Le duele	**c.** Jaime y Paz tienen dolor
4. Nos duele	**d.** Tengo dolor
5. Os duele	**e.** Tienes dolor
6. Les duele	**f.** Tenéis dolor

5.5. **Para el dolor. Con tu compañero, decid para qué sirven estos remedios.**

Un par de aspirinas
Un vaso de leche
Un té
Agua con sal
Dormir mucho
Ejercicio
Gimnasia
Yoga
Un antibiótico

Ejemplo
*Un par de **aspirinas** y **dormir** mucho, para el dolor de cabeza.*

5.6. **Lee este diálogo.**

► *¿Qué te pasa?*
▷ *Me duelen mucho la cabeza y el cuello.*
► *¿Y tienes fiebre?*
▷ *Sí, por lo menos 38.*
► *Necesitas llamar al médico.*
▷ *Sí, creo que sí.*
► *¿Quieres una aspirina ahora?*
▷ *Vale, gracias.*

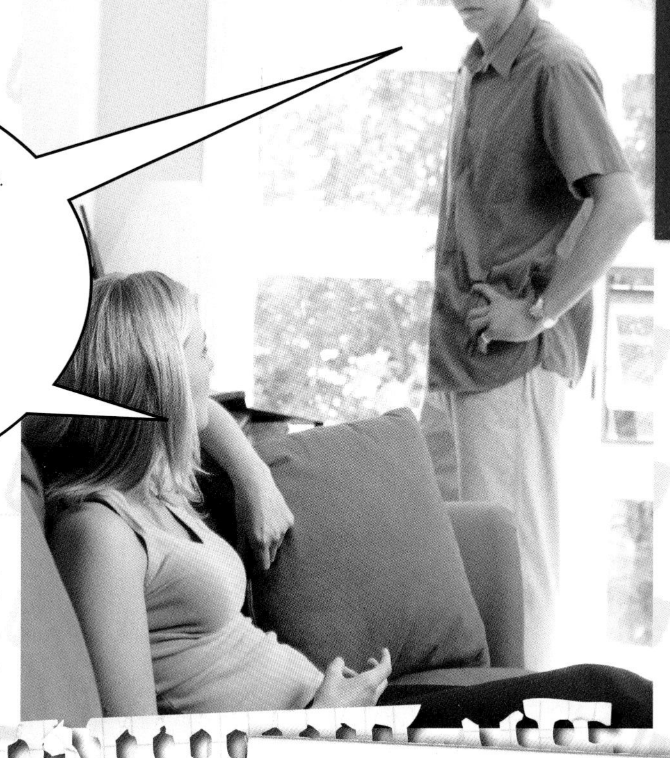

5.6.1. **Ahora, escribe junto a tu compañero un diálogo similar utilizando el vocabulario de los puntos 5.1. y 5.2. Después representadlo para toda la clase.**

PORTFOLIO DOSSIER

1 ¿Recuerdas a Juan y Carmen? (punto 1.2.). Les gusta mucho salir de excursión y viajar con su familia. Este verano quieren ir de vacaciones a Barcelona y no saben qué hacer, necesitan tu ayuda. Busca en las siguientes webs la información que necesitas para completar la ficha. Recuerda elegir el idioma castellano.

PORTFOLIO DOSSIER

http://www.oh-barcelona.com/es/touristic_tour/
http://www.bcn.es (sección Turismo)

Monumentos	Lugares de interés	Museos	Actividades de ocio	Gastronomía

Monumento a Cristóbal Coló Barcelona. Esp

1.1. Fuera de la ciudad también hay lugares interesantes. Busca información sobre estos lugares y después coméntala con tus compañeros de clase. ¿Tenéis la misma información?

PORTFOLIO DOSSIER

Montserrat	Vic	Sitges

http://www.abadiamontserrat.net
http://www.montserratvisita.com
http://www.sitges.com
http://www.sitgestur.cat
http://www.victurisme.cat

2 Aquí tienes tres platos típicos españoles. Busca los ingredientes y explica cómo se preparan.

Gazpacho	Paella	Tarta de Santiago
Ingredientes:	Ingredientes:	Ingredientes:
Preparación:	Preparación:	Preparación:

2.1. ¿Qué te gusta más: la carne o el pescado? ¿O prefieres los dulces? Elige una receta española y explícasela a tus compañeros de clase.

- http://www.euroresidentes.com/Recetas/Recetas.htm
- http://www.lareira.net/cast/
- http://perso.wanadoo.es/recetasdecocina/

1 **Escribe una lista de actividades de ocio que conoces.**

....

2 **Escribe los pronombres propios del verbo *gustar*.**

....

3 **¿Puedes escribir otros verbos que utilizamos igual que *gustar*?**

....

4 **¿Puedes escribir las frases para expresar mismos gustos y gustos diferentes?**

....

5 **¿Eres capaz de decir qué comidas hacemos en un día?**

....

6 **Imagina que eres camarero, ¿puedes escribir las preguntas que hacemos a los clientes?**

....

7 **¿Eres capaz de escribir al menos cuatro platos típicos españoles?**

....

8 **¿Puedes escribir los verbos que utilizamos para expresar dolor o malestar? Pon ejemplos.**

....

9 **¿Puedes marcar qué palabra no corresponde a la serie? Justifica tu respuesta.**

- ☐ queso ☐ helado ☐ leche ☐ chorizo ☐ yogur
- ☐ ojo ☐ brazo ☐ mano ☐ pierna ☐ pie
- ☐ gustar ☐ doler ☐ encantar ☐ importar ☐ odiar

10 **Clasifica los siguientes ejercicios para aprender español, según tus preferencias:**

- Los juegos de lógica.
- Los crucigramas.
- Los ejercicios de huecos.
- Los "roleplay".
- Los ejercicios de verdadero y falso.
- Usar imágenes para hablar.
- Los textos.
- Los ejercicios de hablar en parejas.
- Los ejercicios de vocabulario.
- Hacer mímica.
- Los juegos.
- Las audiciones.
- Los ejercicios de pronunciación del español.
- El trabajo con diccionario.
- ...

Me gusta	No me gusta
Me gustan	No me gustan
Me parece interesante	No me parece interesante
Me parecen interesantes	No me parecen interesantes

Unidad 7

¿Qué me compro?

Contenidos funcionales
- Expresar/preguntar por la cantidad
- Hablar de la existencia, o no, de algo o de alguien
- Preguntar por un producto y su precio

Contenidos gramaticales
- Pronombres de objeto directo
- Pronombres y adjetivos indefinidos:
  - *algo/nada*
  - *alguien/nadie*
  - *alguno/ninguno*
- Pronombres y adjetivos demostrativos
- Números cardinales del cien al millón
- Preposición *para, para qué*

Contenidos léxicos
- Las compras
- Las tiendas
- El supermercado. La lista de la compra
- Relaciones sociales en España
- Utensilios de cocina

Contenidos culturales
- Gastronomía en España y Guatemala
- Costumbres propias de España

1 De tiendas

1.1. [29] **Escucha y lee los siguientes diálogos e identifica en qué tienda están. Justifica tu respuesta.**

Diálogo 1

► *Buenos días, ¿te puedo ayudar en algo?*
▷ *Quería saber dónde está la sección de grupos españoles.*
► *Al fondo del pasillo a la derecha.*

Minutos después

▷ *Por favor, ¿podría ayudarme?*
► *Por supuesto... Ahora mismo voy.*
▷ *No encuentro el último disco de* El sueño de Morfeo.
► *A ver... Aquí lo tienes.*
▷ ***¿Cuánto cuesta?***
► *20 euros.*
▷ *Es un regalo. ¿Si ya lo tiene, podría cambiarlo?*
► *Claro, pero tienes que guardar el ticket de compra.*
▷ *¿Me lo podría envolver en papel de regalo?*
► *Sí, desde luego. ¿Deseas algo más?*
▷ *No, nada más. Muchas gracias por todo.*

Diálogo 2

► *¡Hola!*
▷ *Hola, buenas tardes.*
► *Buenas tardes, ¿me puede mostrar dónde está la sección de literatura juvenil?*
▷ *¡Cómo no! Está a la izquierda de la última estantería. ¿Querías algún libro en concreto?*
► *Sí,* Harry Potter y el cáliz del fuego. *Es el único de Harry Potter que todavía no he leído.*
▷ *Pues mira, justo ese no lo tenemos. Pero si quieres lo pedimos y en dos días está aquí.*
► *Pues sí, se lo agradecería mucho, pero antes quería saber cuánto cuesta.*
▷ *13 euros.*
► *Vale, me gustaría pedirlo.*
▷ *¿Cómo te llamas?*
► *Pablo, Pablo García.*
▷ *Vale, Pablo, el miércoles por la tarde puedes venir a recogerlo.*
► *¡Muchas gracias!*

► *Hola, chicos, ¿qué queríais?*
▷ *Queremos unas zapatillas deportivas y una camiseta.*
► *Mirad, las zapatillas deportivas están en esa fila.*
▷ *A ver, a ver... Me gustan las rojas. ¿Cuánto cuestan?*
► *100 euros.*
▷ *¡Qué caras!*
► *Estas azules son más baratas y también son bonitas.*
▷ ***¿Qué precio tienen?***
► *65 euros.*
▷ *¿Tiene el número 42?*
► *Sí, aquí tienes.*
▷ *Gracias.*
► *Ahora, ¿nos puede enseñar la camiseta?*
► *¿De qué color la quieres?*
► *Verde.*
► *Aquí tenemos una verde muy bonita.*
► ***¿Me podría decir el precio, por favor?***
► *Sí, vale 30 euros. ¿Qué talla necesitas?*
► *La pequeña.*
► *Pues aquí tienes. ¿Algo más?*
► *No, es todo, muchas gracias.*

► *Buenos días, ¿qué querías?*
▷ *Una barra de pan.*
► *¿Normal o especial?*
▷ *¿Qué tipos de barra tienen?*
► *Tenemos barras de pan de maíz y también de trigo e integrales.*
▷ *Una barra de pan integral. ¿Cuánto cuesta?*
► *80 céntimos. ¿Algo más?*
▷ *¡Qué buena pinta tienen esos croissants de chocolate!* ***¿Cuánto valen?***
► *90 céntimos.*
▷ *Vale, me llevo uno también. ¿Cuánto es todo?*
► *Pues, en total,* ***es 1 euro con 70****.*
▷ *¡Muchas gracias y buenos días!*

1.1.1. **Completa este cuadro con la información de los textos anteriores.**

	¿Dónde están?	¿Qué quieren comprar?	¿Cuánto cuesta?
Diálogo 1			
Diálogo 2			
Diálogo 3			
Diálogo 4			

1.1.2. **¿Verdadero o falso? Explica tu respuesta.**

	Verdadero	Falso
1. La camiseta cuesta menos que las zapatillas.	☐	☐
2. El cliente de la librería no puede comprar el libro en ese momento.	☐	☐
3. Los croissants de chocolate están muy apetecibles.	☐	☐
4. En la panadería solo se puede comprar un tipo de pan.	☐	☐
5. En la tienda de discos admiten devoluciones.	☐	☐
6. El cliente de la tienda de discos quiere comprarse un disco para él.	☐	☐
7. El cliente de la tienda deportiva cree que las primeras zapatillas cuestan demasiado dinero.	☐	☐
8. Pablo García quiere comprar un libro para regalárselo a su mejor amigo.	☐	☐

1.1.3. **Contesta a estas preguntas.**

1. ¿Cuánto vale el último disco de *El sueño de Morfeo*?
2. ¿Qué quiere Pablo García? ....
3. ¿De qué color compra el chico las zapatillas deportivas?
4. ¿Qué número de zapatillas deportivas usa el chico?
5. ¿Qué talla de camiseta lleva la chica?
6. ¿Qué tipos de barras de pan puedes comprar en la panadería?
7. ¿Cuánto cuestan las zapatillas deportivas más caras?

1.2. Completa el siguiente cuadro buscando en los ejercicios anteriores los ejemplos. Para ayudarte, hemos puesto las expresiones en negrita.

Para preguntar por el precio de algo/expresar la cantidad

Para preguntar por el precio de algo	Para contestar
► ¿ .... ?	▷ *La merluza está a 11 euros el kilo.*
► ¿ .... ?	▷ *Las peras están a 1,20 euros el kilo.*
► ¿ .... ?	▷ *La camisa cuesta 46 euros.*
► ¿ .... ?	▷ *Las camisas cuestan 46 euros cada una.*
► ¿ Cuánto es (todo) ?	▷ *46 euros.*
► ¿ (Me dice/s) qué le/te debo/doy ?	▷ ....
► ¿ A cuánto está/están ?	

1.3. Observa la información de este cuadro.

Para preguntar por la existencia de:

1. Cosas o información

- **Algo**
  *¿Sabes **algo de** física nuclear?*
- ***Algún-algunos*** + nombre masculino
  *¿Conoces **algún** restaurante bueno y barato?*
- ***Alguna-algunas*** + nombre femenino
  *¿Quiere **alguna** cosa más?*

***No** se ve **nada**.*

2. Personas

- **Alguien**
  *¿Conoces a **alguien** en esta ciudad?*

*Allí hay **alguien**.*

Para responder afirmativa o negativamente

1. Cosas o información

- **Algo/nada**
  *Tengo **algo** que decirte. / **No** sé **nada** de Física Nuclear.*
- ***Algún/ningún-algunos/ningunos*** + nombre masculino
  *Tengo **algunos** libros muy interesantes. / **No** hay **ningún** transporte más rápido que el avión.*
- ***Alguna/ninguna-algunas/ningunas*** + nombre femenino
  *En este libro hay **algunas** ilustraciones muy interesantes. / **No** admito **ninguna** protesta más.*

2. Personas

- **Alguien/nadie**
  *Aquí hay **alguien** que quiere verte. / **No** conozco a **nadie** en esta ciudad.*

1.3.1. Eres nuevo en el instituto y no conoces bien el edificio, la organización y los servicios que presta. Pregunta a tu compañero por la existencia de estas cosas, personas e información y anota sus respuestas.

Alumno B

☆ Un director.
☆ Tutorías a través de Internet.
☆ Material para las clases de dibujo.
☆ Actividades complementarias después de las clases.
☆ Una sala de ordenadores.
☆ Tu pregunta: ....

1.3.2. Completa el diálogo con las siguientes palabras y luego comprueba con tu compañero.

nada • **algún** • **alguna** (2) • **ninguno** • **algo**

- Buenos días, ¿querías **(1)** ....?
- Sí, quería ver **(2)** .... libro para regalo.
- ¿Qué clase de libro?
- De ficción. ¿Tiene **(3)** .... novedad?
- Sí, por supuesto. Tenemos cosas nuevas en ese pasillo de ahí.
- ¿Tiene un libro que se llama *Caperucita en Manhattan* de Carmen Martín Gaite?
- No, no queda **(4)** .... pero hay otros títulos de la misma autora.
- Bien, me llevo este.
- Muy bien. ¿**(5)** .... cosa más?
- No, gracias, **(6)** .... más. ¿Cuánto es?
- Son 13 euros.

1.3.3. PORTFOLIO DOSSIER **Imaginad que estáis en un centro comercial; escoged la sección que queráis: música, deportes, cosmética, librería, ropa... Escribid un diálogo similar al del ejercicio 1.3.2. Después, representadlo en la clase.**

1.4. [30] **Escucha las siguientes conversaciones y completa los datos que faltan.**

Diálogo 1

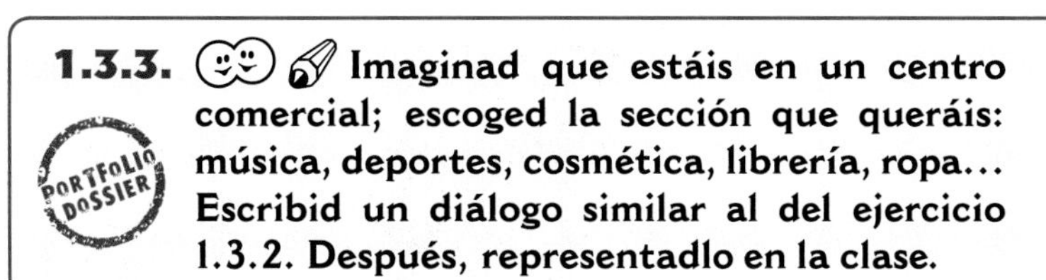

- ► ¿Qué **(1)** ....?
- ▷ Unas zapatillas deportivas.
- ► ¿Cómo **(2)** .... quieres?
- ▷ Rojas y muy cómodas.
- ► ¿Estas?
- ▷ Sí. ¿Cuánto **(3)** ....?
- ► 80 euros.

Diálogo 2

- ► Hola ¿**(1)** .... estos tebeos?
- ▷ Cinco euros cada uno.
- ► **(2)** .... estos antiguos de Zipi y Zape que parecen muy divertidos.
- ▷ ¿**(3)** .... más?
- ► No, gracias, **(4)** .... más.

Diálogo 3

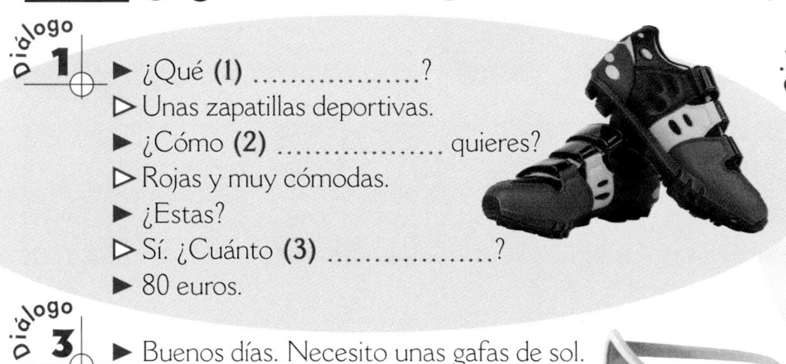

- ► Buenos días. Necesito unas gafas de sol.
- ▷ ¿De qué color **(1)** .... quiere?
- ► Amarillas.
- ▷ ¿Las prefiere pequeñas?
- ► No, grandes.
- ▷ Tenemos estos modelos. ¿Le gusta **(2)** ....?
- ► Pues..., no, la verdad. No me gusta **(3)** .... Lo siento.

1.5. **Observa este cuadro y completa los huecos que faltan.**

Adjetivos y pronombres demostrativos

	MASCULINO	FEMENINO	NEUTRO
singular	este/______/aquel	esta/esa/aquella	esto/eso/______
plural	______/esos/aquellos	estas/esas/______	

- ► *¿**Esos** plátanos son baratos?*
- ▷ ***Estos** de aquí sí, pero **aquellos** de allí son más caros.*
- ► *¿Le pongo de **esas** peras?*
- ▷ *Sí, deme peras, pero no de **estas** de aquí, deme de **aquellas** de allí.*

*¿Qué es **esto**? Un ordenador.*
*¿Qué es **eso**? Una chaqueta.*
*¿Qué es **aquello**? Aviones.*

1.5.1. Tenemos tres listas de objetos situados en diferentes puntos. Tú estás en el círculo. ¿Qué demostrativo puedes utilizar para señalar cada objeto?

Rebajas

1.6. Sigue las instrucciones de tu profesor.

Ejemplo

► *¿Qué es aquello?*

▷ *Es una camiseta.*

1.7. Relaciona:

1. los plátanos
2. las peras
3. el melón
4. la sandía

- a. **La** compro.
- b. No **los** compro.
- c. **Las** quiero de agua.
- d. No **lo** quiero tan grande.

Pronombres de objeto directo

	1.ª persona	2.ª persona	3.ª persona FEMENINO	3.ª persona MASCULINO
singular	me	te	la	lo (le)
plural	nos	os	las	los

► *¿Vas a hacer **la comida**?*

▷ *Sí, **la** hago ahora mismo.*

► *¿Quién tiene **las notas**?*

▷ ***Las** tengo yo.*

► *¿Tienen ya **el coche**?*

▷ *No, pero **lo** arreglan hoy mismo.*

► *¿Ves a **los niños** desde aquí?*

▷ *Pues no, la verdad es que no **los** veo.*

1.8. [31] **Escucha la siguiente canción y señala de qué están hablando.**

☐ una bicicleta ☐ una cámara de fotos	☐ una guitarra ☐ una raqueta	☐ un tebeo ☐ un calendario	☐ una revista ☐ una brújula

2 La fiesta de cumpleaños

2.1. **Quieres hacer una fiesta sorpresa para un amigo que cumple años y vas a cocinar el plato típico de tu país. Prepara la lista de la compra para ir al supermercado. Clasifica las fotografías de los alimentos que tiene el profesor. ¿A qué sección debes ir a buscar cada cosa (frutería, carnicería, pescadería, panadería, pastelería, charcutería...)?**

Ejemplo: *El pan **lo** compramos en la panadería.*

2.2. **Tu amigo español decide hacer gazpacho y tortilla para llevar a la fiesta y busca en su libro de cocina: estas son las recetas. ¿Qué ingredientes lleva el gazpacho? ¿Y la tortilla?**

Gazpacho:

El gazpacho es un plato típico de Andalucía. ¡Es muy fácil! Primero pelas los tomates y los pepinos y los cortas en trozos pequeños junto con el pimiento, la cebolla, el ajo, y el pan duro. Al final añades el aceite, el vinagre y la sal y bates todo con la batidora. Echas agua fría y/o hielo. ¡Buen provecho!

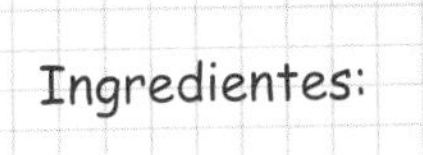

Ingredientes:

Tortilla de patatas:

La tortilla es un plato típico de toda España, al igual que el gazpacho es muy fácil de preparar.
Primero pelas las patatas y las cortas en trocitos muy pequeños. En una sartén calientas aceite y cuando está caliente añades las patatas y las fríes hasta que están doradas. Bates huevos en un plato sopero y añades las patatas ya doradas y las mezclas con los huevos. Eliminas el aceite de la sartén (dejas solo un poquito) y añades en ella las patatas mezcladas con el huevo. Lo dejas un minuto y con un plato le das la vuelta a la tortilla y la vuelves a echar en la sartén un minuto más y ¡ya puedes servir en el plato!

Ingredientes:

2.2.1. **Subraya los verbos. ¿Sabes qué significan?**

2.2.2. **En una cocina hay muchas cosas. Ayúdanos a saber qué son y para qué sirven. Por supuesto, usa el diccionario.**

Ejemplo

*1. Es un **embudo**; **para** no derramar líquidos al pasarlos de un recipiente a otro.*

- Usamos la preposición ***para*** + **infinitivo** cuando queremos marcar la finalidad o el objetivo de algo.
  *La cuchara es **para** comer sopa.*
- Usamos ***para qué***, si preguntamos por la finalidad u objetivo de algo.
  *¿**Para qué** lo quieres?*
- ***Para*** + **nombre** o **pronombre** indica el destinatario o beneficiario de algo.
  *Estas flores son **para** ti; Este dinero es **para** Intermón.*

3 Poderoso caballero, don dinero

3.1. **Pregunta a tu compañero cuánto cuestan las cosas de tu cartón.**

CONTINÚA

Alumno B

....	1,50 €	....	305 €

22,95 €	....	270 €	....	125 €	....

3.2. Con 200 euros, ¿qué artículos de los anteriores podéis comprar?

3.2.1. Has jugado a la lotería y has ganado 200 euros. Este fin de semana vas a comprar algo que te apetece mucho con este dinero. Cuéntaselo a tus compañeros.

3.3. [32] Escucha los siguientes números y completa.

Los números (continuación)

100	....	**607**	seiscientos ....
101	.... uno	**700**	....
200	....	**777**	.... y siete
212	.... doce	**900**	....
400	....	**1000**	....
435	.... y	**2015**	.... quince
500	....	**6000**	.... mil
546	.... cuarenta	**15 000**	.... mil
600	....		

3.4. Algunas cosas cambian en algunos países. Contesta el siguiente cuestionario.

En España, normalmente...	En mi país es... Igual	Parecido	Diferente
1. Abren las tiendas de 10 a 14 y de 17 a 20 h.	☐	☐	☐
2. "Mediodía" se refiere a la hora de comer (13-15 h.).	☐	☐	☐
3. No está bien preguntar cuánto gana la gente.	☐	☐	☐
4. Si vamos a visitar a alguien le llevamos un detalle.	☐	☐	☐
5. Decimos "Buenas tardes" hasta que llega la noche, independientemente de la hora.	☐	☐	☐

3.4.1. Ahora cuenta al resto de la clase cómo son estas cosas en tu país, y qué es lo que cambia con respecto a España.

PORTFOLIO DOSSIER

1 Hoy es la fiesta de cumpleaños de tu mejor amigo y vas a sorprenderlo con un maravilloso postre hecho por ti. Entra en la página web: www.mundopostres.com, escoge una receta y rellena el siguiente formulario.

Número de personas: ....

Ingredientes: ....

....

....

Preparación: ....

....

....

....

....

....

....

1.1. Ahora escoge a dos compañeros de clase y anota las explicaciones que te dan de sus recetas.

2 Entra en la página web de Ikea España (Toda la casa > Cocinar) y, junto a dos compañeros, elegid diez utensilios básicos para cocinar. Haced una lista, escoged el modelo y calculad el dinero que necesitáis para comprarlos.

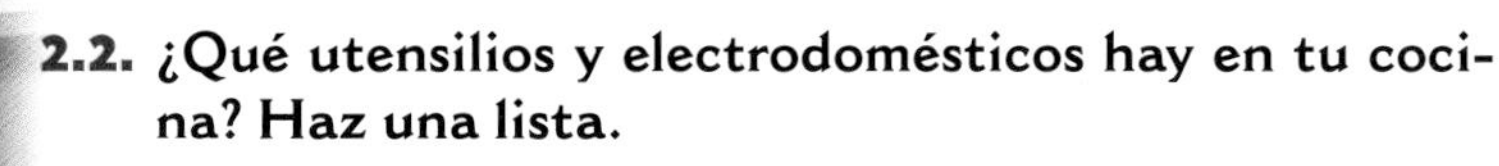

2.1. Comparad vuestra lista con las de otros grupos y defended ante todos vuestra elección: utilidad, precio, diseño...

2.2. ¿Qué utensilios y electrodomésticos hay en tu cocina? Haz una lista.

....

....

....

....

....

....

....

1 **Fíjate en las siguientes palabras. ¿Dónde puedes comprar los objetos?**

Raqueta: ....
Tebeos: ....
Pan: ....
Zapatos: ....
Fruta: ....
Despertador: ....
Móvil: ....
Ordenador: ....
Flores: ....

2 **Vas a una librería a comprar un libro para regalárselo a tu mejor amigo. ¿Cómo preguntas por el precio? ¿Conoces más de una forma para preguntarlo?**

....

3 **Para preguntar y hablar de la existencia o ausencia de una cosa o información sin especificar, ¿qué palabras utilizas? Construye una frase para cada palabra.**

....

4 **¿Cómo se llaman gramaticalmente las siguientes palabras?**

algún/alguna   algunos/algunas

....

5 **¿Cuál es la forma negativa de las palabras anteriores?**

....

6 **Escribe en letra los siguientes números.**

834: ....
495: ....
6543: ....
67: ....
23: ....
12: ....
56: ....
782: ....
321: ....
230: ....

7 **Busca en el diccionario el nombre de una cosa. Explícale a tu compañero para qué sirve sin decir su nombre; él tiene que adivinarlo.**

....

8 **Señala la palabra que por alguna razón (gramatical, léxica...) no pertenece al grupo y justifica tu elección.**

1.
- ☐ algún
- ☐ algunos
- ☐ alguna
- ☐ ningún

2.
- ☐ manzana
- ☐ peras
- ☐ naranjas
- ☐ ciruelas

3.
- ☐ cafetera
- ☐ cazo
- ☐ plato
- ☐ secador de pelo

4.
- ☐ hola
- ☐ buenos días
- ☐ buenas tardes
- ☐ hasta pronto

9 **Haz una valoración de esta unidad. ¿Qué has aprendido?**

- Gramática: ....
- Vocabulario: ....
- Funciones comunicativas: ....
- Contenidos culturales: ....

10 **¿Qué es lo más difícil de esta unidad para ti? ¿Y lo más fácil?**

....

Unidad 8

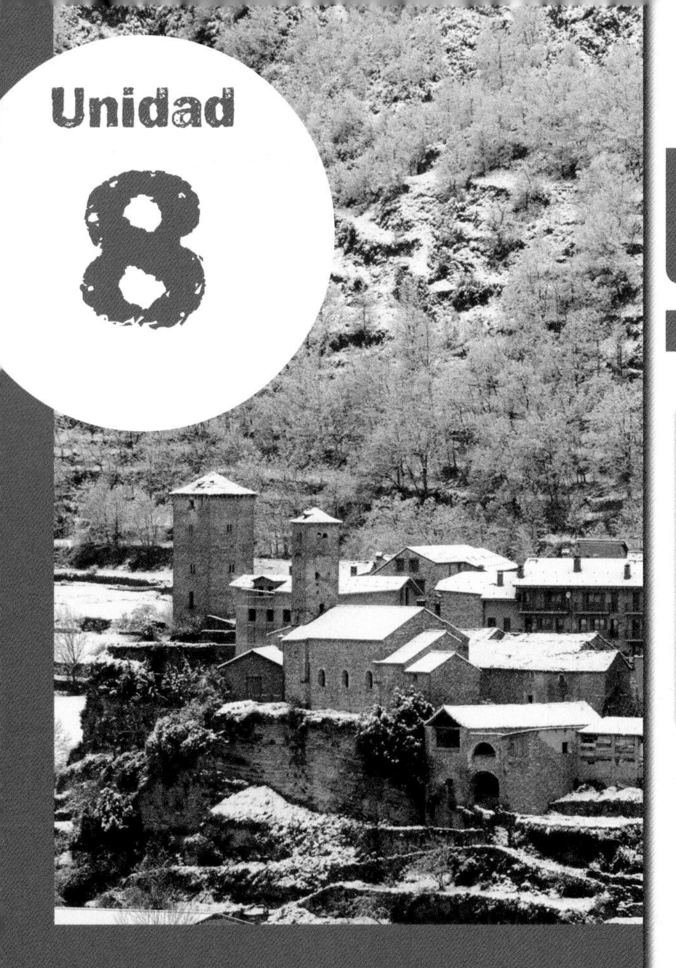

¡Cómo está el tiempo!

Contenidos funcionales
- Hablar del tiempo atmosférico
- Hablar de la duración de una acción
- Hacer planes y proyectos
- Hacer sugerencias y aceptarlas o rechazarlas
- Expresar obligación
- La exposición oral

Contenidos gramaticales
- *Estar* + gerundio
- Verbos de tiempo atmosférico: *llover, nevar*, etc.
- *Muy/mucho*
- Perífrasis de infinitivo: *ir a, querer, hay que, tener que, deber*

Contenidos léxicos
- El tiempo atmosférico
- Los puntos cardinales
- Los meses del año
- Las estaciones del año
- Viajes

Contenidos culturales
- El clima en España
- Los *emoticones*
- El clima en Uruguay
- Gestos de aceptación y rechazo

1 ¿Qué tiempo hace?

1.1. **Relaciona cada dibujo con expresiones de los recuadros.**

Hace +
- sol
- aire
- (mucho) viento
- (mucho) calor
- (mucho) frío
- fresco
- (muy) buen tiempo
- (muy) mal tiempo

Llueve

Nieva

Hay + tormenta

Está + nublado

a. b. c. d.

1.2. [33] **Contesta este cuestionario y luego escucha la audición para comprobar tus respuestas.**

1. En España en verano hace...
- ☐ a. siempre mucho frío.
- ☐ b. mal tiempo.
- ☐ c. calor.
- ☐ d. viento.

2. Los Pirineos están en la frontera de España con...
- ☐ a. Irlanda.
- ☐ b. Alemania.
- ☐ c. Suecia.
- ☐ d. Francia.

3. En verano la gente en las playas...
- ☐ a. está tomando el sol.
- ☐ b. está tomando el aire.
- ☐ c. está haciendo la comida.
- ☐ d. está trabajando mucho.

4. En el norte de España la gente lleva chaqueta porque...
- ☐ a. durante el día hace calor.
- ☐ b. llueve en invierno.
- ☐ c. en verano hace un poco de frío por la noche.
- ☐ d. hace mucho viento en las montañas.

1.3. [33] **Vuelve a escuchar y di si estas afirmaciones son verdaderas o falsas. Justifica tu respuesta.**

	Verdadero	Falso
1. En el sur de España hace mucho calor.	☐	☐
2. En el sur de España llueve mucho en verano.	☐	☐
3. Por la noche, en el norte de España hace un poco de frío.	☐	☐
4. En el país de Hans ahora está nevando y en el interior sigue lloviendo.	☐	☐
5. En España no hay diferencia de clima entre el norte y el sur.	☐	☐

Para hablar del tiempo

- ¡**Qué** frío/calor (hace)!
- **Hace** mucho/muchísimo frío/calor.
- ¿**Tienes/tiene** frío/calor?
- ¡**Qué** frío/calor **tengo**!
- ¿**Qué día/tiempo** hace?
- Hace un día muy/bastante bueno/malo.
- **No hace nada de** frío/calor.
- **Estamos a** X grados.

1.3.1. **Completa según la información de la audición.**

1. ¿Qué tiempo está .... en tu país?
☐ a. comiendo ☐ b. hace ☐ c. haciendo ☐ d. nevando

2. En las montañas está nevando y en el interior .... lloviendo.
☐ a. es ☐ b. tiene ☐ c. hace ☐ d. sigue

3. En el país de Hans normalmente .... en esta época del año.
☐ a. llueve ☐ b. hace mucho ☐ c. nieva ☐ d. es muy frío

4. En las playas la gente está .... el sol.
☐ a. comiendo ☐ b. tomando ☐ c. tomar ☐ d. siguiendo

1.4. **Rellena el espacio en blanco con un ejemplo. Puedes encontrarlo en las frases del ejercicio 1.3.**

Acción en desarrollo

***Estar* + gerundio** (acción que se produce en el momento en que se habla)

.... **(mucho/muchísimo/bastante/un poco)**

El gerundio

-ar → -ando		**-er → -iendo**		**-ir → -iendo**	
Hablar	hablando	Comer	comiendo	Vivir	viviendo
Cantar	cantando	Beber	bebiendo	Salir	saliendo
Nevar	nevando	Hacer	haciendo	Escribir	escribiendo

Gerundios irregulares

Dormir → durmiendo Leer → leyendo Decir → diciendo Oír → oyendo

1.4.1. ¿Qué están haciendo? Completa con los siguientes verbos.

hablar • leer • escribir • escuchar • dormir • mirar

2 Estaciones del año

2.1. [34] **Escucha la canción y relaciona cada estrofa con cada una de las estaciones del año. Justifica tu respuesta.**

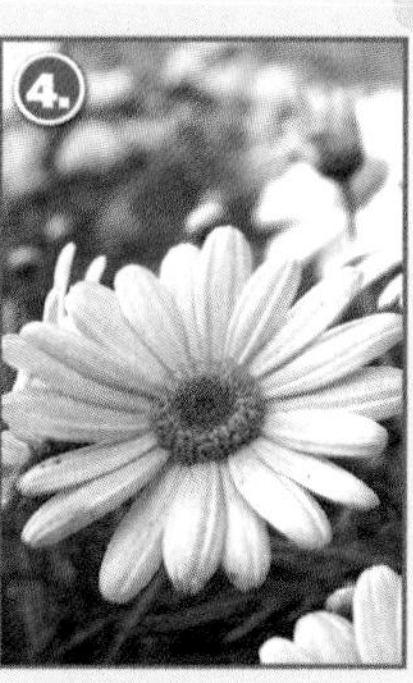

2.2. [35] **Estos son los doce meses del año. Completa con las vocales que faltan.**

_ N _ R O	M _ Y _	S _ P T _ _ M B R _
F _ B R _ R _	J _ N _ _	O C T _ B R _
M _ R Z _	J _ L _ _	N O V _ _ M B R E
_ B R _ L	_ G _ S T O	D _ C _ _ M B R E

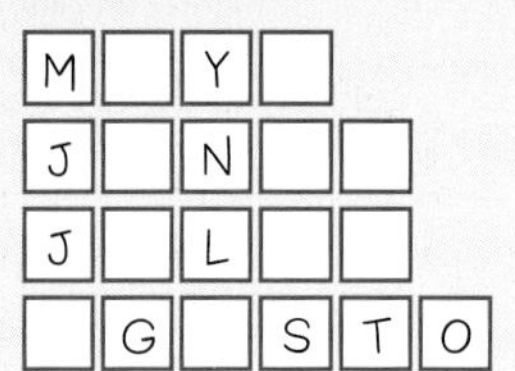

2.3. **Piensa en las distintas estaciones del año en tu país. Ahora, agrupa los meses según las estaciones del año y escribe frases como las del modelo.**

En mi país, en enero estamos en invierno, hace mucho frío y el tiempo es muy lluvioso.

- Usamos **muy** delante de adjetivo y adverbio:
  *El sur es **muy** cálido.*
  *Mi casa está **muy** cerca.*
- Usamos **mucho, mucha, muchos, muchas** delante de nombres:
  *Hace **mucho** frío. Hay **muchas** nubes en el cielo.*
- Usamos **mucho** después del verbo:
  *Llueve **mucho**.*

2.3.1. Completa las frases con: *muy, mucho, mucha, muchos, muchas.*

1. Hay .... cartas en el buzón.
2. A Charo le gusta .... el chocolate.
3. Me pongo el abrigo porque tengo .... frío.
4. Mi abuelo es .... viejo, tiene 102 años.
5. La escuela está .... lejos de mi casa.
6. Marcos está enfermo, tiene .... fiebre.
7. En la clase 303 hay .... alumnos.
8. Este libro es .... interesante.

2.4. **Escribe una pequeña redacción sobre el mes y la estación del año que prefieres y explica el porqué.**

PORTFOLIO DOSSIER

....

....

....

....

2.5. **Mira las imágenes. Escoge una y descríbela utilizando los siguientes verbos, nombres y adjetivos. Tus compañeros tienen que decir de qué imagen estás hablando.**

Verbos

- nieva
- llueve
- hace (frío/calor/sol/viento...)
- hay (nieve/niebla/tormenta...)
- es/está (caluroso/tranquilo...)

Nombres

- la nieve
- la lluvia
- el calor
- el frío
- la niebla
- el mar
- el cielo
- la temperatura
- la tierra

Adjetivos

- frío
- caluroso
- templado
- tranquilo
- suave
- húmedo
- seco
- nublado
- despejado

3 Planes y proyectos

3.1. [36] **Escucha este diálogo.**

3.2. **En el diálogo anterior aparecen dos verbos seguidos de infinitivo, por ejemplo: *vas a hacer*. Vuelve a escuchar y completa el cuadro.**

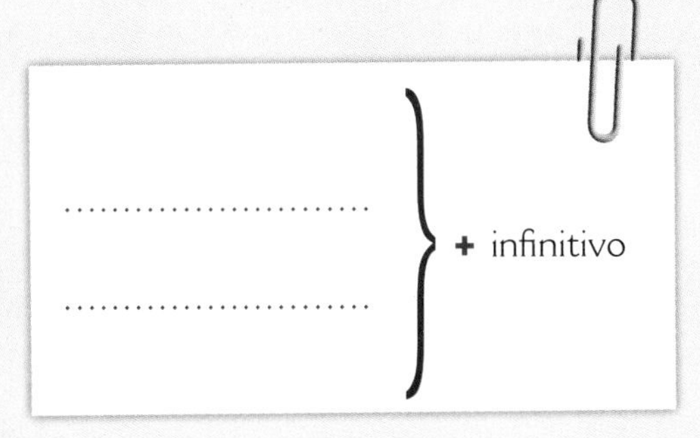

3.3. Con estas estructuras expresamos diferentes cosas (deseos, intenciones...) y también nos permiten hablar de acciones en futuro. Lee la transcripción del diálogo y, con la ayuda del profesor, escribe en los bocadillos todas las frases que expresen ese tiempo verbal.

Juan expresa futuro cuando dice:

Y María...

Planes y proyectos

- Con la perífrasis ***ir a*** + **infinitivo** podemos hablar de nuestros planes y proyectos, porque expresa un futuro próximo o inmediato; normalmente la acompañamos de las siguientes marcas temporales:

– esta tarde	– esta noche	– este fin de semana	– este verano
– la próxima semana	– el mes que viene	– mañana	– hoy

– Esta noche voy a ver a Pedro.
– ¿Vas a comprarte el móvil este año?
– Pasado mañana vamos a empezar el instituto.
– Sara no va a venir a clase hoy.

- Otra forma de expresar la intención o voluntad de hacer algo en el futuro es ***querer*** + **infinitivo**:

– En verano quiero irme al extranjero de vacaciones.

3.4. **Aquí tienes unas hojas de la agenda de Juan. ¿Por qué no redactas lo que va a hacer Juan este fin de semana?**

Viernes
De 10.30 a 12.00, clase de inglés
17.00 comprar regalo de Pepe
Cumpleaños de Pepe 21.00

Sábado
Ordenar habitación
Estudiar
Comida en casa de los tíos
20.30 Fiesta en casa de Almudena

Domingo
Partido de fútbol en el parque
17.00 Cine con Marta

Ejemplo
Juan, el viernes por la mañana, quiere... ....
....
....

4 La obligación. Sugerir y recomendar

4.1. **Ahora, tú eres Juan, responde a estas preguntas. Puedes consultar el cuadro de la página siguiente.**

1. ¿Puedes ir al cine el sábado por la noche?
2. ¿Puedes jugar al tenis el domingo por la mañana?
3. ¿Puedes comprar el regalo de Pepe el viernes por la mañana?
4. ¿Puedes visitar a tus abuelos el viernes por la noche?
5. ¿Puedes ir al Museo del Prado el sábado por la mañana?

Excusarse

Para responder negativamente a una invitación o propuesta justificando la respuesta usamos formas como:

- No, es que...
- No, no puedo porque...

  – *No, es que el viernes a las nueve tengo un cumpleaños.*

4.2. **Siguiendo el modelo del ejercicio anterior, prepara junto a tu compañero un diálogo y luego presentadlo al resto de la clase. Uno de vosotros es A y el otro B y queréis quedar la semana que viene para jugar a la *Play Station*, pero es difícil porque vuestras agendas están muy llenas.**

PORTFOLIO DOSSIER

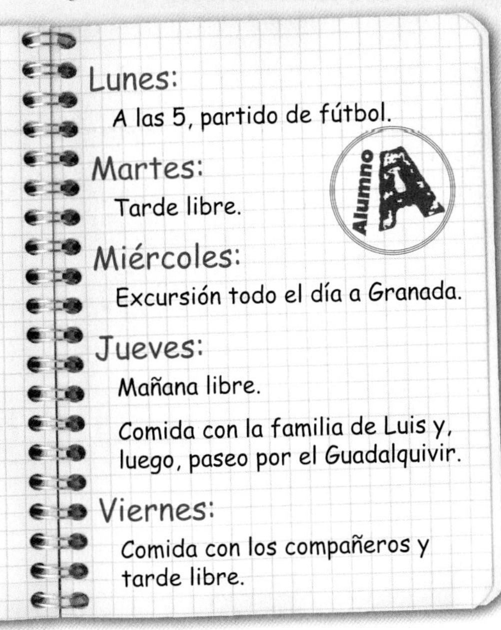

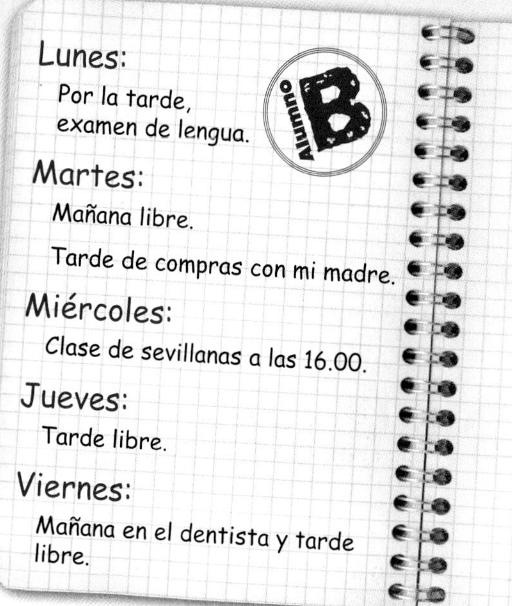

4.3. **En español hay varias formas verbales para expresar la obligación y hacer recomendaciones. Lee el siguiente texto y encuéntralas.**

Ainhoa y Mireia estudian 2.° de ESO (Enseñanza Secundaria Obligatoria) en San Sebastián. Van al instituto todos los días y tienen que estudiar mucho para aprobar todas las asignaturas. Si quieres conocerlas debes conectarte a Internet porque a ellas les encanta navegar por la red y chatear con sus amigos. También te tienen que gustar la música y el cine: este fin de semana quieren ver *Piratas del Caribe*. Ellas piensan que para estar en forma hay que hacer ejercicio, por eso Mireia va a la piscina cuatro días a la semana y Ainhoa va a patinar los martes, los jueves y los viernes.

4.3.1. **Escribe tú las otras dos formas que aparecen en el texto para expresar obligación y hacer recomendaciones y dos ejemplos de cada una.**

a. *Tener que* + infinitivo
1. *Voy a quedarme porque tengo que estudiar.*
2. *Tienes que estudiar mucho para aprobar todas las asignaturas.*

b. .... + ...
1. ....
2. ....

c. .... + ...
1. ....
2. ....

Obligación. Sugerir o recomendar

- ***Tener que* + infinitivo:** utilizamos esta estructura cuando queremos expresar una obligación inexcusable o recomendar algo enfáticamente.
  – *No puedo acompañarte, porque tengo que ir al médico.*
  – *Sale de casa a las siete, porque a las ocho tiene que coger un tren.*
- ***Deber* + infinitivo:** sentimos la obligación, pero no es inexcusable. Usamos esta estructura también para dar consejos.
  – *Debo estudiar, pero es que no me apetece.*
  – *Debes comer menos.*
- ***Hay que* + infinitivo:** expresamos una obligación impersonal, generalizada.
  – *Para viajar allí hay que tener un visado.*
  – *Hay que apretar este botón para apagar el PC.*

4.4. **Escribe, usando las tres estructuras de obligación, qué es necesario hacer para:**

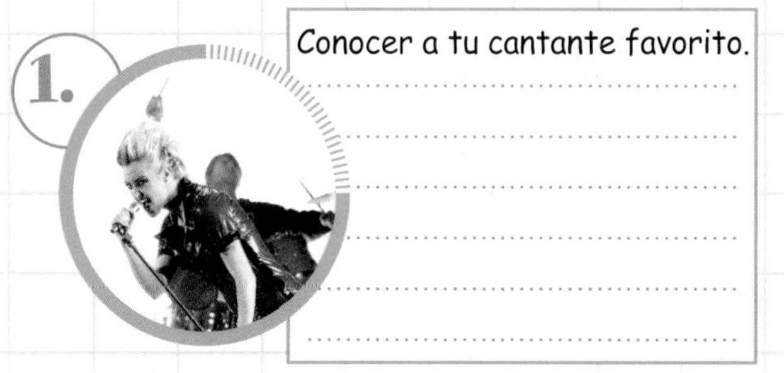

1. Conocer a tu cantante favorito.

....

....

....

....

....

2. Viajar al Polo Norte.

....

....

....

....

....

4.5. **Escribe tus ideas y di qué cosas hay que hacer para conocerte bien.**

....

....

....

....

....

5 ¿Qué hacemos?

5.1. [37] **Vas a escuchar un diálogo entre dos personas. Fíjate en dos cosas: ¿cuál es el tema de conversación? y ¿qué quiere hacer el chico?**

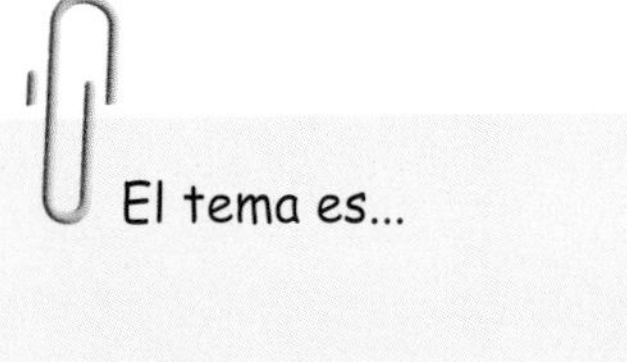

El tema es...

El chico quiere...

5.2. [37] **Vuelve a escuchar el diálogo y fíjate en las expresiones que usan los interlocutores para hacer sugerencias y para rechazarlas. A continuación, completa el cuadro que hay debajo.**

	Hacer sugerencias	Rechazarlas
1.	....	....
2.	....	....
3.	....	....
4.	....	....

5.3. **Pero si queremos aceptar una sugerencia, ¿qué expresiones podemos usar? Con la ayuda del profesor, rellena los cuadros.**

5.4. [37] **Vas a escuchar el diálogo por tercera vez. Fíjate qué países o ciudades se mencionan y por qué se rechaza cada uno de ellos. Toma nota en la siguiente tabla.**

	Lugares	Motivo del rechazo
1.		
2.		
3.		
4.		
5.		

5.5. **Ahora prepara, con un compañero, un diálogo como el que has oído. Haced sugerencias y dad razones para rechazarlas. No es necesario que lo escribas, solo toma notas en la tabla como has hecho antes.**

Un país:	Una película:	Un curso:	Un transporte:
☐ Francia	☐ oeste	☐ ballet	☐ tren
☐ Estados Unidos	☐ terror	☐ guitarra	☐ autobús
☐ Argentina	☐ humor	☐ español	☐ a dedo
☐ Italia	☐ musical	☐ dibujo	☐ coche
☐ Rusia	☐ bélica	☐ internet	☐ avión
☐ Japón	☐ intriga	☐ chino	☐ bici
☐ Alemania	☐ amor	☐ piano	☐ moto

Sugerencias:	Respuestas:

1 **Consulta las siguientes webs y contesta a tu amigo dándole la información que te pide en su carta.**

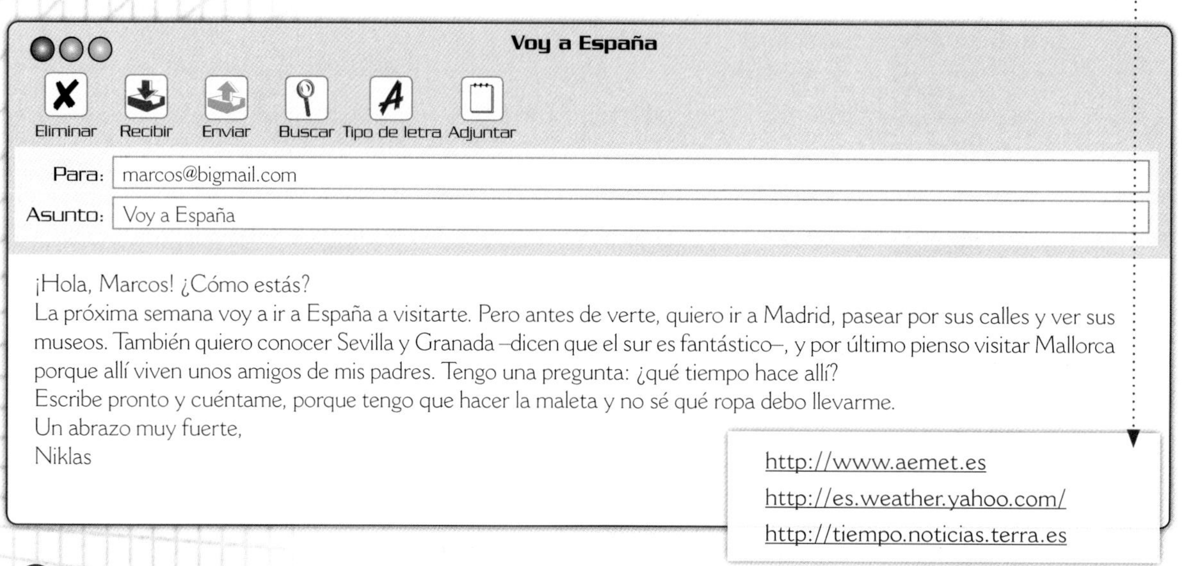
Voy a España

Para: marcos@bigmail.com

Asunto: Voy a España

¡Hola, Marcos! ¿Cómo estás?
La próxima semana voy a ir a España a visitarte. Pero antes de verte, quiero ir a Madrid, pasear por sus calles y ver sus museos. También quiero conocer Sevilla y Granada –dicen que el sur es fantástico–, y por último pienso visitar Mallorca porque allí viven unos amigos de mis padres. Tengo una pregunta: ¿qué tiempo hace allí?
Escribe pronto y cuéntame, porque tengo que hacer la maleta y no sé qué ropa debo llevarme.
Un abrazo muy fuerte,
Niklas

http://www.aemet.es
http://es.weather.yahoo.com/
http://tiempo.noticias.terra.es

2 **El lenguaje de los gestos es muy importante en la comunicación. Consulta esta página: http://gamp.c.u-tokyo.ac.jp/~ueda/gestos y busca los gestos para las siguientes acciones. ¿Son iguales en tu país? Apréndelos y represéntalos para tus compañeros.**

asco • buena idea • cara dura • después • ¡qué calor! • ¡qué frío! • muy bien • más o menos • aquí • no oír

* Pulsa la tecla ALT + 126 (teclado numérico) para obtener "~".

3 **Cuando nos comunicamos por Internet o SMS no podemos usar los gestos, pero tenemos los *emoticones* (símbolos para expresar emociones). Consulta la siguiente página web: http://www.detodounpoco.net/emoticones/ y, después, dibuja los correspondientes a las siguientes emociones:**

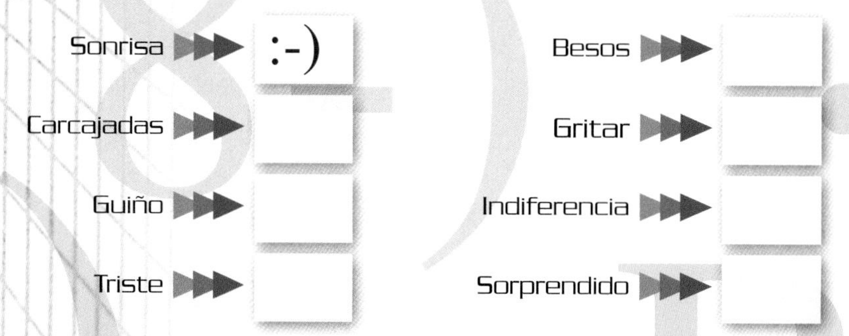

En esta página también puedes practicar: http://cajondesastre.juegos.free.fr/Ejercicios_vocabulario, sección "Emoticones".

1 ¿Puedes escribir una lista de palabras referentes al tiempo?

....

2 ¿Puedes clasificar las palabras anteriores en su columna correspondiente?

Primavera	Verano	Otoño	Invierno

3 ¿Recuerdas los meses del año? Escríbelos.

....

....

4 ¿Eres capaz de escribir cuatro gerundios irregulares?

....

5 ¿Recuerdas cómo usamos *muy*? Pon ejemplos.

....

6 ¿Recuerdas cómo usamos *mucho, mucha, muchos, muchas*? Pon ejemplos.

- Mucho: ....
- Mucha: ....
- Muchos: ....
- Muchas: ....

7 Escribe las perífrasis que has aprendido en esta unidad.

....

8 Clasifícalas en su columna correspondiente.

Expresar planes y proyectos	Expresar la intención de hacer algo en el futuro	Expresar obligación

9 Pon un ejemplo con cada una de ellas.

....

....

....

....

....

....

Unidad 9

¿Qué has hecho hoy?

Contenidos funcionales
- Hablar de acciones terminadas en un tiempo relacionado con el presente
- Describir o narrar experiencias o situaciones personales
- Narrar acciones habituales en contraste con acciones terminadas en un tiempo relacionado con el presente
- Narrar acciones en pasado

Contenidos gramaticales
- Pretérito perfecto: morfología y usos (formas regulares e irregulares)
- Marcadores temporales: *hoy, esta mañana, esta tarde, alguna vez, ayer, anoche, el año pasado...*
- Contraste *ya/todavía no*
- Revisión pronombres indefinidos
- Pretérito indefinido: morfología y uso (formas regulares y algunas irregulares: *ser, ir, dar, estar, tener* y *hacer*)

Contenidos léxicos
- Las actividades cotidianas: la agenda
- Turismo
- Prensa

Contenidos culturales
- Andalucía y el turismo español
- Prensa española
- Perú, Honduras, México, Argentina

1 Manuel y su mundo

1.1. **Manuel tiene catorce años, vive con sus padres en un chalé adosado a las afueras de la ciudad y estudia en el instituto San Juan de Austria. Hoy es jueves por la noche y está muy cansado. Mira los dibujos y marca qué ha hecho hoy.**

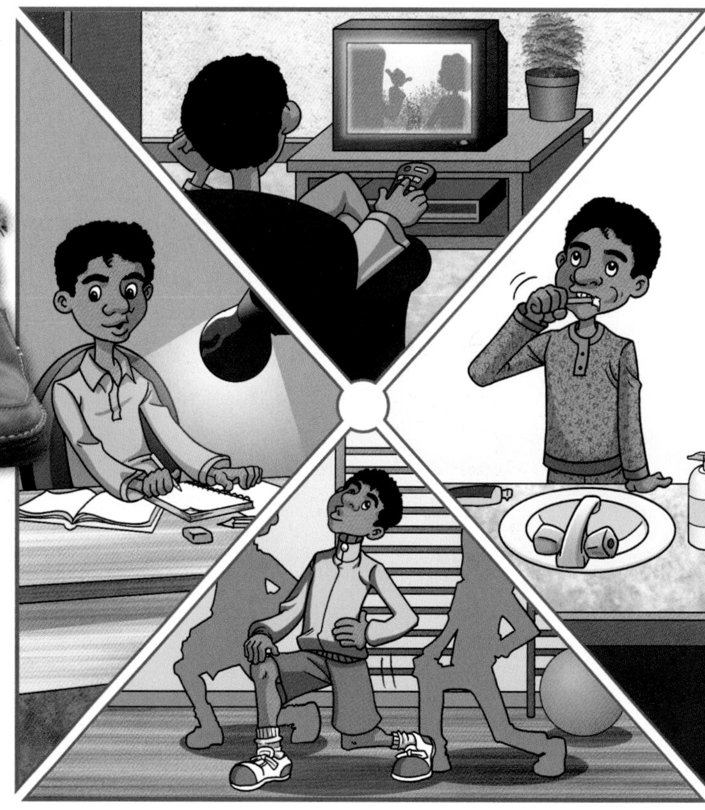

- ☐ **1.** Se ha levantado muy temprano.
- ☐ **2.** Se ha lavado los dientes.
- ☐ **3.** Ha abierto su correo electrónico.
- ☐ **4.** Ha estudiado matemáticas.
- ☐ **5.** Ha hecho gimnasia.
- ☐ **6.** Ha comido en su casa.
- ☐ **7.** A las 17 horas ha esperado a su madre.
- ☐ **8.** Ha hecho los deberes.
- ☐ **9.** Ha visto la tele un rato.

1.2. **Las frases que has marcado se refieren al... Márcalo con una ✗.**

☐ a. presente ☐ b. futuro ☐ c. pasado

1.3. Este tiempo se llama pretérito perfecto y se refiere al pasado. ¿Sabes cómo se forma? Mira bien la tabla y completa.

Pretérito perfecto

Sujeto	Presente del verbo *haber*	Verbos en -AR	Verbos en -ER	Verbos en -IR
Yo	**he**	trabaj**ado**	ten**ido**	sal**ido**
Tú	**has**			sal**ido**
Él/ella/usted		trabaj**ado**		
Nosotros/as	**hemos**		ten**ido**	
Vosotros/as	**habéis**	trabaj**ado**		sal**ido**
Ellos/ellas/ustedes			ten**ido**	

El participio se forma así ➔ trabaj-______ ten-______ sal-______

- El pretérito perfecto es un tiempo compuesto y se forma con el presente del verbo *haber* más el participio de cualquier verbo.
- El participio, en este caso, es invariable, no tiene género ni número. Observa:
  – *Él ha **llegado**.* – *Ella ha **llegado**.* – *Ellos han **llegado**.*

1.4. Lee las frases de 1.1. y completa el cuadro.

Algunos participios irregulares

Abrir ➪	....	Romper ➪	roto	Escribir ➪	escrito
Poner ➪	puesto	Volver ➪	vuelto	Decir ➪	dicho
Hacer ➪	....	Descubrir ➪	descubierto	Ver ➪	....

Usamos el pretérito perfecto para:

Referirnos a acciones terminadas en presente o en un periodo de tiempo no terminado. Observa:

– *Hoy ha sido un día horrible.*
– *Esta tarde he visto a Luis.*
– *Esta mañana he ido al gimnasio.*
– *Este año he estado en París de vacaciones.*

- Fíjate en estos marcadores temporales, te pueden ayudar a comprender qué entendemos por **tiempo no terminado**.

Hoy
Hace { cinco minutos / una hora / un rato }
Últimamente

Esta { mañana / tarde / noche / semana }

Este { mes / año / fin de semana / verano }

1.5. [38] **Escucha esta canción. Habla de lo que hace habitualmente una chica española. Toma nota en el círculo de la izquierda de sus acciones cotidianas y en el de la derecha de lo que ha hecho hoy. Fíjate en las diferencias temporales.**

1.6. Piensa en cuatro cosas que haces todos los días pero que, hoy, no has hecho y escríbelas: ....

Ya / todavía no

También utilizamos el **pretérito perfecto** con estos marcadores:

ya • todavía no

► *¿Has escrito la postal?*
▷ *Sí, **ya** la he escrito.*

► *¿Habéis comido?*
▷ *No, **todavía no** hemos comido.*

1.7. El padre de Manuel, Álvaro, también tiene una agenda muy apretada siempre. Hoy es viernes por la noche. Fíjate en lo que ha hecho Álvaro ya esta semana y en lo que no ha hecho todavía y escríbelo en el cuadro de abajo.

	3 Lunes	4 Martes	5 Miércoles	6 Jueves	7 Viernes	8 Sábado	9 Domingo
08.00			Viaje a Barcelona				
10.00	Dentista	Reunión de trabajo					
12.00		Gimnasio				Zoo con la familia	Hacer limpieza
14.00	Comida con el jefe			Comer en casa de mis padres			Regar las plantas
16.00		Recoger a Manuel			Entrevista con el tutor de Manuel		
18.00	Judo Manuel		Vuelta a Madrid			Fiesta de cumpleaños de Manuel	Poner la lavadora
20.00				Ir al cine con Lucía	Bailes de salón		

Ya

- Álvaro ya ha ido al dentista.

Todavía no

- Todavía no ha ido al zoo con su familia.

1.8. Escribe tres cosas que siempre has soñado hacer y ya has hecho y otras tres que todavía no has podido realizar. Después, cuéntaselo a tu compañero y toma nota de sus respuestas. ¿Coincidís en algo?

PORTFOLIO DOSSIER

Ejemplo

Ya he escalado el Everest, pero todavía no he visitado Roma.

Pretérito perfecto

También utilizamos el **pretérito perfecto** en preguntas o informaciones sin referencia temporal:

► *¿Has leído este libro?*
▷ *No, no lo he leído.*

► *¿Has esquiado alguna vez?*
▷ *No, no he esquiado nunca.*

1.9. **Y ahora, piensa en lo que has hecho durante este mes y contesta las preguntas que se te formulan en la pizarra.**

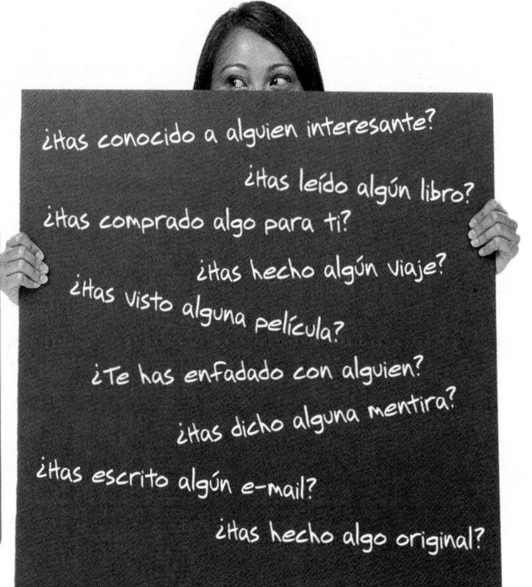

Adjetivos y pronombres indefinidos:

- **Alguien** ► *¿Me ha llamado alguien por teléfono?*
- **Nadie** ▷ *No, no te ha llamado nadie.*

- **Algún/alguno/a/os/as** ► *¿Necesitas algún libro?*
- **Ningún/ninguno/a/os/as** ▷ *No, no necesito ninguno.*

- **Algo** ► *¿Quieres algo?*
- **Nada** ▷ *No, no quiero nada.*

1.10. **Con tu compañero lee y ordena este diálogo en el que los padres de Manuel hablan de cómo les ha ido el día.**

► ¿Y por qué no has cogido un taxi? ..... ◯
► ¡Qué bien! ¿No? ..... ◯
► ¿Sí? ¿Y qué os ha dicho? ..... ◯
► Muy bien. Ya no tiene que tomar más jarabe. ..... ◯
► Estupendo. ¿Preparamos la cena? ..... ◯
► ¿Qué tal el trabajo hoy? ..... ◯
► Bien, aunque también he llegado tarde al trabajo. El metro se ha averiado y he tenido que coger el autobús. ..... ◯
► Pues que el próximo año nos vamos a cambiar de edificio. ..... ◯
► ¡Uf! Ha sido un día agotador. Primero, he llegado tarde por culpa del tráfico, creo que no voy a ir nunca más en coche... Y después hemos tenido una reunión larguísima. Ha venido el gran jefe hoy, ¿sabes? ..... ◯
► Sí, muy bien. Y tú, ¿qué tal? ..... ◯
► ¿Con tanto tráfico? No, no... Además es muy caro. ..... ◯
► ¿Y cómo ha ido en el médico con Manuel? ..... ◯

1.10.1. [39] **Ahora escucha y comprueba.**

1.10.2. **Cuéntale a tu compañero cómo te ha ido el día, qué has hecho y qué no has hecho todavía pero tienes que hacer.**

2 La experiencia, madre de la ciencia

2.1. [40] **Lucía, la madre de Manuel, admira mucho a su abuelo y ha anotado las cosas que él ha hecho durante su vida para no olvidarlas. Ahora se lo está contando a Manuel. Escucha con atención.**

2.1.1. **Ahora, contesta y justifica tu respuesta.**

	Sí	No	No sé
1. Ambrosio ha tenido siempre la misma profesión.	☐	☐	☐
2. Ha vivido siempre en su pueblo.	☐	☐	☐
3. Ha luchado en la guerra.	☐	☐	☐
4. Ha ido a un safari.	☐	☐	☐
5. Ha tenido dos esposas.	☐	☐	☐
6. Ha conocido a sus nietos.	☐	☐	☐
7. Ha vivido intensamente.	☐	☐	☐

2.2. **Mira la lista que tienes abajo. Marca con una X tres cosas que te gustaría conocer, probar, ver, leer... y pregunta a tus compañeros si las conocen, han probado, han visto... y qué les han parecido.**

- ☐ El jamón serrano
- ☐ La tortilla de patata
- ☐ El patinaje
- ☐ El museo Dalí de Figueras
- ☐ El Canal de Panamá
- ☐ El Carnaval de Tenerife
- ☐ La *Wii*
- ☐ *El señor de los anillos*
- ☐ Una película de Almódovar
- ☐ Los Sanfermines
- ☐ Ibiza
- ☐ Los frijoles
- ☐ La *batuka*
- ☐ La paella
- ☐ Perú
- ☐ El Quijote

2.3. **Vamos a jugar. Imagina que acabas de volver de unas vacaciones en un país. Di a tus compañeros dos cosas que has visto o has hecho allí. Ellos luego te van a hacer preguntas para averiguar dónde has estado.**

3 Las vacaciones de Manuel y Ana

3.1. **Manuel le enseña a Ana el álbum de fotos de sus vacaciones de los últimos años. Señala las frases que corresponden a los dibujos.**

- ☐ **1.** Fue a un camping a los Pirineos con los compañeros de curso.
- ☐ **2.** Fue a París y visitó la Torre Eiffel.
- ☐ **3.** Estuvo en las Fallas de Valencia y comió paella.
- ☐ **4.** Fue a la Feria de Abril de Sevilla y bailó sevillanas.
- ☐ **5.** Fue a Roma y comió pizza.
- ☐ **6.** Hizo un curso de inglés en Londres.
- ☐ **7.** Se quedó en su ciudad y practicó mucho deporte.
- ☐ **8.** Se apuntó a un curso de fotografía para hacer las mejores fotos en sus próximas vacaciones.

3.1.1. **En las frases anteriores aparece un nuevo tiempo verbal referido al pasado. Subraya las formas.**

3.1.2. **Este nuevo tiempo verbal se llama pretérito indefinido. Contesta la pregunta.**

¿Por qué todas las frases aparecen en pretérito indefinido?

Porque se refieren a:

- ☐ a. Acciones pasadas pero relacionadas con el presente.
- ☐ b. Acciones pasadas pero no terminadas.
- ☐ c. Acciones pasadas en un periodo de tiempo terminado.

3.2. **El pretérito indefinido cuenta con formas regulares y también muchas irregulares. Fíjate en la tabla y complétala con la ayuda de tu profesor.**

a. Pretérito indefinido – Formas regulares

Sujeto	Verbos en -AR	Verbos en -ER	Verbos en -IR
Yo	viaj**é**	com**í**	sal**í**
Tú		com**iste**	sal**iste**
Él/ella/usted	viaj**ó**		sal**ió**
Nosotros/as	viaj**amos**	com**imos**	
Vosotros/as	viaj**asteis**		sal**isteis**
Ellos/ellas/ustedes	viaj**aron**	com**ieron**	

3.2.1. Aquí tienes algunas formas irregulares. Léelas.

b. Pretérito indefinido – Formas irregulares

Sujeto	Ser/Ir	Dar	Estar	Tener	Hacer
Yo	fui	di	estuve	tuve	hice
Tú	fuiste	diste	estuviste	tuviste	hiciste
Él/ella/usted	fue	dio	estuvo	tuvo	hizo
Nosotros/as	fuimos	dimos	estuvimos	tuvimos	hicimos
Vosotros/as	fuisteis	disteis	estuvisteis	tuvisteis	hicisteis
Ellos/ellas/ustedes	fueron	dieron	estuvieron	tuvieron	hicieron

3.2.2. **Lee el siguiente cuadro sobre el uso del pretérito indefinido. ¿Coincide con tu respuesta de 3.1.2.?**

Para narrar acciones pasadas

- Se utiliza el **pretérito indefinido** para expresar acciones terminadas en el pasado sin ninguna relación con el tiempo actual.
  - *– **Ayer por la tarde** fui al cine.*
  - *– **El último fin de semana** fue muy divertido.*
  - *– **La semana pasada** comí en casa de mis abuelos.*
  - *– **Las vacaciones pasadas** hice unas fotos preciosas.*

3.3. **Aquí tienes algunos marcadores temporales de pretérito indefinido, ¿por qué no los ordenas cronológicamente teniendo en cuenta la fecha de hoy?**

- **a.** Anteayer
- **b.** El otro día
- **c.** El mes pasado
- **d.** El 7 de julio de 2005
- **e.** Ayer por la mañana
- **f.** La semana pasada
- **g.** El domingo por la tarde
- **h.** En mayo del año pasado
- **i.** Hace dos años
- **j.** Anoche

1. ....
2. ....
3. ....
4. ....
5. ....
6. ....
7. ....
8. ....
9. ....
10. ....

3.4. **La semana pasada te encontraste con un amigo que vive en el extranjero y hace dos años que no ves. Hazle preguntas para averiguar lo que ha hecho en estos dos años. Apúntalo y explícaselo después al resto de tus compañeros.**

PORTFOLIO DOSSIER

► *¿Qué hiciste el verano pasado?*

► *Estuve en un campamento haciendo* rafting.

3.5. Jane, amiga de Ana, hizo un viaje a Andalucía y le escribió una postal. Jane es inglesa y tiene problemas con el pretérito indefinido. ¿Por qué no la ayudas y completas los huecos en blanco?

Alhambra de Granada.
Patio de los Leones

Granada, 15 de abril

¡Hola, Ana!

¿Cómo estás? Yo muy bien pero ¡qué calor hace en Andalucía! La semana pasada mis padres, mis hermanos y yo 1 .... (viajar) a Andalucía. 2 .... (salir) el sábado del aeropuerto de Barajas a las 9.00 y a las 10.15 3 .... (llegar) a Sevilla. 4 .... (estar) dos días y 5 .... (caminar) por el centro, 6 .... (conocer) la Judería, el barrio de Triana e 7 .... (hacer) muchas fotografías a la Giralda. Al día siguiente 8 .... (ir) a Córdoba y 9 .... (ver) La Mezquita. ¡Fue el monumento que más me 10 .... (gustar)! Ayer 11 .... (llegar) a Granada. Mis padres 12 .... (quedarse) en el hotel para descansar pero mis hermanos y yo 13 .... (pasear) por la ciudad y 14 .... (visitar) la Alhambra. ¡Nos encantó!

Mañana regresamos a Londres pero siempre tendré un recuerdo muy bonito de nuestro viaje a Andalucía.

Un beso

Jane

P.D. Recuerdos de toda mi familia.

3.6. Piensa en el mejor viaje que has hecho y cuéntaselo a tu compañero. ¡No te olvides de comentar lo siguiente!:

- ¿Adónde fuiste?
- ¿Por qué fuiste allí?
- ¿Fuiste solo o acompañado?
- ¿Cuánto tiempo estuviste?
- ¿Qué comiste? ¿Qué hiciste durante el día? ¿Y por la noche?
- ¿Qué fue lo mejor del viaje? ¿Y lo peor?

4 Cuéntame tu vida

4.1. Completa los cuadros con los marcadores temporales correspondientes a cada tiempo verbal y haz una frase con cada uno de ellos.

hoy • anoche • en junio de 2006 • esta mañana • ayer por la mañana • el otro día • este mes • el mes pasado • este invierno pasado • el lunes

- Pretérito perfecto: ▶▶▶
- Pretérito indefinido: ▶▶▶

4.2. Dile a tu compañero cuándo ha sido/fue la última vez que has hecho/hiciste las siguientes acciones.

La última vez... ha sido/fue...

☐ ir al cine	☐ ayer
☐ hablar por teléfono con mi mejor amigo	☐ este fin de semana
☐ comer fuera de casa	☐ el mes pasado
☐ visitar otro país	☐ en agosto
☐ mandar un e-mail	☐ esta semana
☐ oír música	☐ las últimas vacaciones
☐ visitar un museo	☐ hoy
☐ hacer un viaje	☐ el otro día

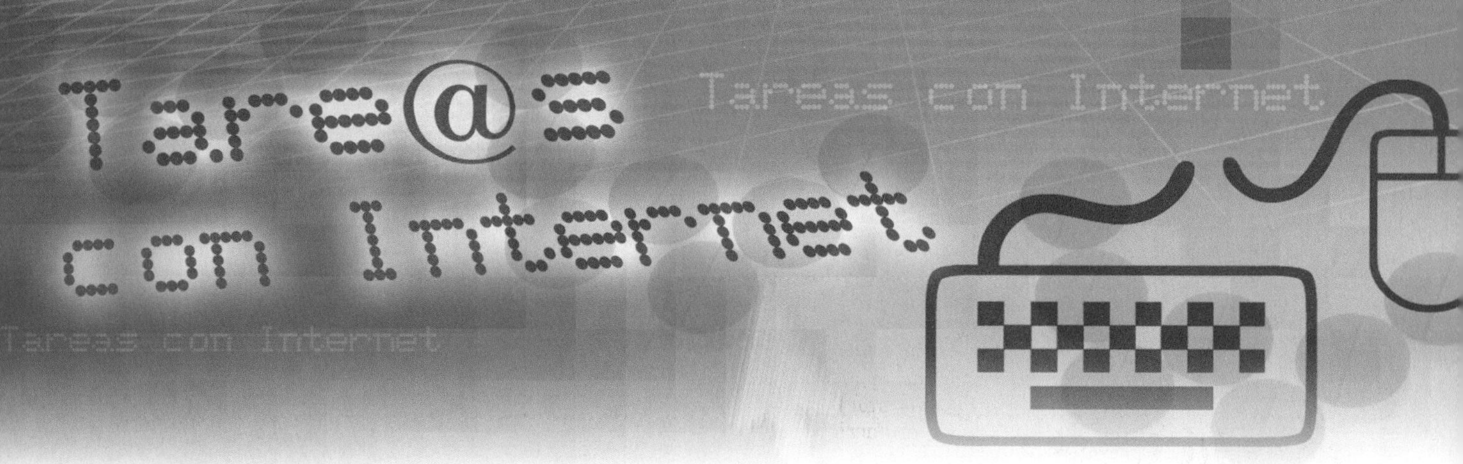

Tare@s con Internet

1 **Vamos a hacer un periódico.** Todo periódico se divide en secciones, por ejemplo, "Internacional". ¿Puedes indicar otras?

Puedes consultar las siguientes páginas:

- http://www.elperiodico.com/
- http://www.elpais.com/
- http://www.lavanguardia.com/
- http://www.elmundo.es/

2 **Ahora, busca algunos titulares de lo que ha sucedido últimamente en España y en el mundo y escríbelos en su columna correspondiente.**

Internacional	Nacional	Cultura
Sociedad	**Deportes**	....

3 **Lee esta noticia.**

Tres estudiantes desaparecidos

Tres estudiantes de la escuela pública Nuestra Señora de los Misterios han desaparecido esta tarde tras haber encontrado una misteriosa caja azul.

Los estudiantes de segundo curso de la ESO, J.M., M.F. y O.G., de la escuela Nuestra Señora de los Misterios, Murcia, han llegado juntos al centro educativo esta mañana, como todos los días y han encontrado en el patio de la escuela, junto a unas basuras, una misteriosa caja azul. Se la han enseñado a su profesora Dña. Juana Martín Fernández, quien les ha mandado al director para entregarla. Los estudiantes, que han salido juntos de nuevo, no han llegado al despacho ni han vuelto a casa. Se desconoce su paradero, así como el de la misteriosa caja.

4 PORTFOLIO DOSSIER **Con tus compañeros, repartid las secciones del periódico y escribid un artículo que recoja la siguiente información:**

- ¿Qué ha pasado/pasó?
- ¿Quiénes son los protagonistas?
- ¿Dónde ha sucedido/sucedió el hecho?
- ¿Cuándo ha sucedido/sucedió?

Ahora, entre todos, confeccionad el periódico.

1 **¿Para qué usamos el pretérito perfecto?**

....

2 **El pretérito perfecto se forma con el presente del verbo *haber* más el participio del verbo correspondiente. ¿Puedes escribir cinco participios irregulares?**

....

3 **En esta unidad has aprendido otro tiempo verbal del pasado. ¿Cómo se llama? ¿Para qué lo usamos?**

....

4 **¿Qué es un marcador temporal?**

....

5 **Escribe cuatro marcadores temporales de pretérito perfecto y cuatro de pretérito indefinido.**

- ....
- ....
- ....
- ....
- ....
- ....
- ....
- ....

6 **Conjuga el pretérito indefinido de los siguientes verbos. ¿Cuáles son regulares y cuáles irregulares?**

	ir	tener	hacer	escribir	hablar
Yo	....	....	....	....	....
Tú	....	....	....	....	....
Él/ella/usted	....	....	....	....	....
Nosotros/as	....	....	....	....	....
Vosotros/as	....	....	....	....	....
Ellos/ellas/ustedes	....	....	....	....	....

7 **Señala la forma correcta:**

1. Ayer comí/he comido en casa.
2. Este fin de semana ha sido/fue divertido.
3. El verano pasado Manuel ha estado/estuvo en París.
4. Juan vivió/ha vivido en Sevilla dos años.
5. Hoy por la mañana desayuné/he desayunado un zumo de naranja con tostadas.
6. El 2005 fue/ha sido para mí un año maravilloso.

8 **En esta unidad hemos hablado mucho de vacaciones y viajes. Haz una lista de al menos ocho palabras relacionadas con las vacaciones.**

....

9 **En esta unidad has conocido dos tiempos verbales de pasado. ¿Te han quedado claros sus usos y sus diferencias? ¿Cuál de los dos te resulta más difícil de usar y aprender? ¿Por qué crees que es más difícil?**

....

¿España es diferente?

Contenidos funcionales
- Dar/pedir una opinión
- Expresar acuerdo y desacuerdo
- Expresar causa y preguntar por la causa de algo
- Pedir/dar instrucciones sobre lugares y direcciones: organizar el discurso
- Pedir permiso, concederlo y denegarlo
- Invitar/ofrecer: aceptar y rechazar

Contenidos gramaticales
- La negación
- *¿Por qué?/Porque*
- Imperativo afirmativo: regulares e irregulares
- Organizadores del discurso
- Imperativos + pronombres

Contenidos léxicos
- Los tópicos sobre las nacionalidades
- Léxico relacionado con el modo de vida de los españoles
- La ciudad
- El banco: el cajero automático

Contenidos culturales
- Comunidades autónomas de España y estereotipos sobre sus habitantes
- Romper tópicos sobre España
- México: el Día de los Muertos

1 No, no y no

1.1. [41] **Escucha los siguientes diálogos y fíjate en las expresiones en negrita.**

Ana y Alberto son novios y están enfadados. Ana habla con su amiga Rosa.

► *¡Alberto es imbécil!*
▷ ***Bueno, bueno, no** lo creo. Además te quiere mucho. Tienes que hablar con él.*
► ***¡Ni hablar! No quiero ni** verlo.*

Sergio y Julio son hermanos. Sergio siempre pide dinero a Julio. Julio está harto.

► *¿Qué quieres ahora?*
▷ *Nada... que voy a salir con unos amigos y **no** tengo "pasta".*
► *Tú como siempre. ¡**Nunca** tienes dinero! Pues **no** te voy a dar **nada**.*
▷ *¡Anda!, solo diez euros.*
► *¡**Que no**! **Ni** diez euros **ni** nada.*

Irene recuerda con horror su último viaje en avión.

► *¿Qué tal el viaje, hija?*
▷ *¡Uf!, fatal, horrible. **No** vuelvo a viajar en avión **nunca jamás**, ¡qué miedo!*

En casa de la abuela.

► *¿Quieres comer algo?*
▷ ***No**, gracias, abuela. **No** tengo hambre.*
► ***No** comes **nada**, hijo. ¿De verdad **no** tienes hambre?*
▷ ***Que no, no**, abuela. **Para nada**, de verdad.*

En español hay diferentes formas de decir ***no***. Es muy difícil escuchar a un español decir solamente **no**.

1.2. ¿Cómo podemos decir "no" en español? Trabaja con tu compañero. Los diálogos anteriores pueden servirte de guía.

Negación neutra o débil	Negación fuerte	Doble negación

1.3. Es verano y estás en Madrid pasando quince días con una familia española. Juan, tu "hermano español" está respondiendo a una encuesta por teléfono. A partir de las respuestas, reconstruye con tu compañero las preguntas y el tema de la encuesta.

Tema de la encuesta: ....

Encuestador: ....
Juan: No, somos cuatro hermanos.
Encuestador: ....
Juan: No, nunca.
Encuestador: ....
Juan: No, porque lo hacemos en el colegio.
Encuestador: ....
Juan: ¡Claro, hombre!, con toda la familia.

Encuestador: ....
Juan: No, para nada. Solo un zumo de naranja y una tostada.
Encuestador: ....
Juan: No, nunca, pero a mediodía como bastante.
Encuestador: ....
Juan: Normalmente en casa con mis hermanos.

2 España y los españoles

2.1. Vamos a leer las opiniones de tres personas sobre los días festivos en España. Después, contesta la pregunta.

¿HAY DEMASIADOS DÍAS FESTIVOS EN ESPAÑA?

1. Lucía Jiménez, alumna de 4.° de ESO

En España hay muy pocos días festivos y eso no me gusta nada. Lo peor de todo es que siempre tengo que esperar a las vacaciones de Navidad, Semana Santa y verano para descansar y divertirme con mis amigos o hacer algún viaje con mi familia. Creo que lo mejor sería más días festivos repartidos durante todo el año.

CONTINÚA

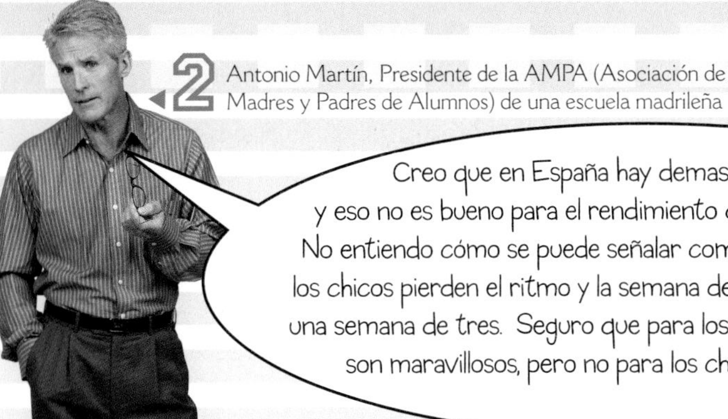

2 Antonio Martín, Presidente de la AMPA (Asociación de Madres y Padres de Alumnos) de una escuela madrileña

Creo que en España hay demasiados días festivos y eso no es bueno para el rendimiento de los chicos en el colegio. No entiendo cómo se puede señalar como día festivo un miércoles, los chicos pierden el ritmo y la semana de cinco días se convierte en una semana de tres. Seguro que para los profesores los días festivos son maravillosos, pero no para los chicos ni para los padres.

3 María Gutiérrez, abuela de Lucía Jiménez

Para mí los días festivos son maravillosos porque significan poder ver a mis nietos y disfrutar de ellos. A mí me parece que no es tan grave que los chicos pierdan un día de clase durante la semana, lo importante son las horas efectivas de escuela y pienso que España no es de los países que más vacaciones y días festivos tienen de la Unión Europea. Además, los chicos también aprenden mucho conmigo.

2.1.1. **Fíjate bien en las expresiones que se utilizan para dar y pedir una opinión y señala en los textos anteriores las que aparecen.**

La opinión

- **Para dar una opinión podemos decir:**

  (Yo) creo que/pienso que
  Para mí,
  (A mí) me parece que
  } + opinión

  Para mí, estudiar lenguas es muy positivo.

> Para expresar opinión, el verbo ***parecer*** se construye igual que el verbo ***gustar***.
>
> *(A mí)* ***me parece*** *una buena idea.*
> *(A ti)* ***te parece*** *bien ir al cine.*
> *(A él)* ***le parecen*** *originales sus ideas.*
> *(A nosotros)* ***nos parece*** *fenomenal.*
> *(A vosotros)* ***os parece*** *que está mal.*
> *(A ellos)* ***les parece*** *fatal.*

- **Para pedir una opinión:**

  ¿Tú qué crees/piensas/dices?
  ¿A ti qué te parece?

- **Para mostrar acuerdo, acuerdo parcial o desacuerdo con las opiniones de otros:**

  Yo (no) estoy de acuerdo con { esa idea / Luis / eso }, porque...

  Sí, claro
  Tienes razón
  Bueno
  } , pero...

- **Para mostrar que estamos totalmente en desacuerdo, podemos usar:**

  Pues yo no estoy **para nada** de acuerdo.
  Ni hablar, eso no es así.
  No tienes razón.

2.1.2. Tu profesor te va a dar información sobre los festivos y las vacaciones que hay en España. Compara con tu país y da tu opinión.

2.2. Aquí tienes diferentes adjetivos. Escribe en un cuadro los que te parecen positivos y en otro los negativos. Usa tu diccionario. Después, escribe tres adjetivos más en cada cuadro.

violento • fantástico • bien • estupendo • soso • ruidoso • sabroso • fatal • animado • exótico • cómodo • horrible • interesante • malo • lógico • absurdo • entretenido • divertido • excelente • aburrido • bueno • acogedor

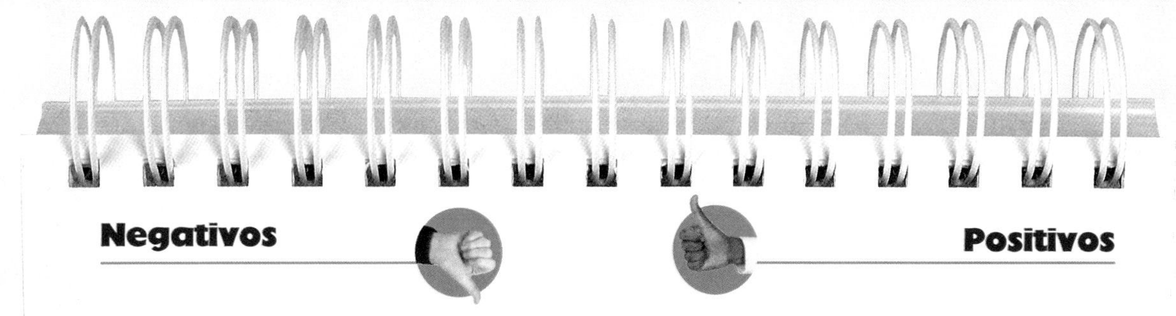

Negativos	Positivos

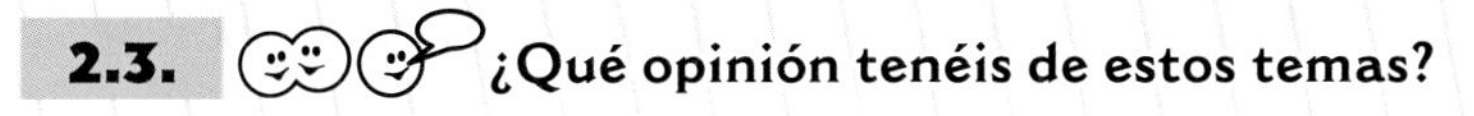

2.3. ¿Qué opinión tenéis de estos temas?

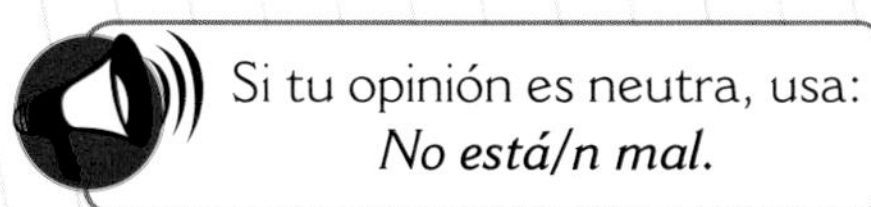

Ejemplo
► *¿Qué opinas de las películas de animación?*
▷ *Me parecen muy divertidas.*

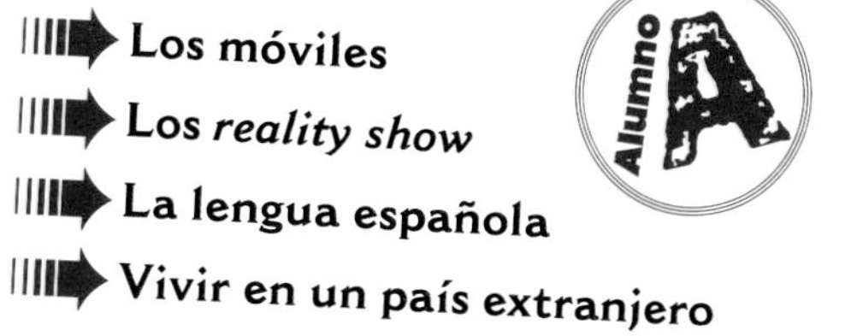
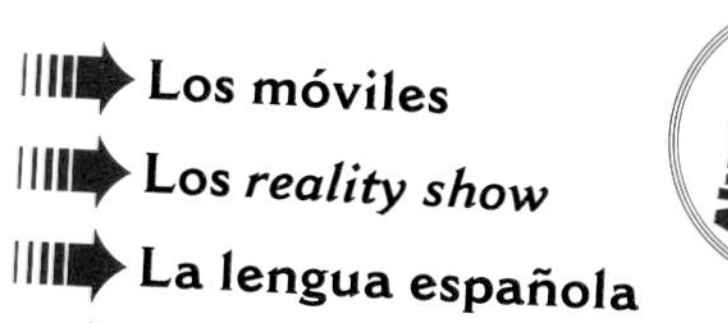

- Los deportes violentos como el boxeo
- Internet
- Las costumbres españolas
- El fútbol

Alumno B

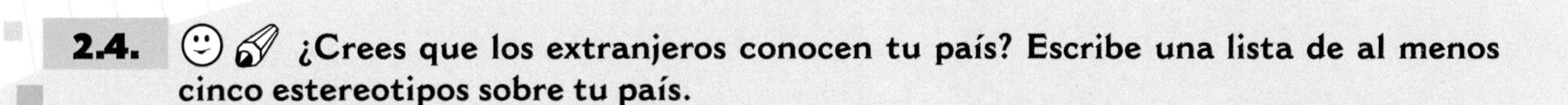

2.4. ¿Crees que los extranjeros conocen tu país? Escribe una lista de al menos cinco estereotipos sobre tu país.

2.4.1. Ahora, di si estás de acuerdo o no con esos estereotipos y discútelo con tus compañeros.

2.5. Lee este texto:

Así somos

El retrato más completo de los españoles por comunidades autónomas

Los navarros son los más altos y los que más compran el periódico y, por el contrario, los extremeños son los más bajitos; los asturianos y gallegos son los más gordos y los riojanos los más delgados. Los madrileños, los que más viajan y más van al cine. Los andaluces son los que caen más simpáticos y los que más hijos traen al mundo y los catalanes los que más verduras comen y menos van a misa.

Los españoles ahora nos casamos menos, nos divorciamos más y tenemos menos hijos. Vivimos unos 77 años. Y son los castellano-leoneses los más longevos.

Galicia es la comunidad autónoma que más bares tiene; sin embargo, en Ceuta y Melilla beben poco, porque hay muchos musulmanes; además, son los más deportistas de España. Los españoles más sociables están en Castilla-La Mancha y País Vasco, y los menos en Canarias y Madrid.

Texto adaptado de *El País Semanal*

2.5.1. **¿Verdadero o falso? Señala en el texto dónde se dice cada una de las frases.**

	Verdadero	Falso
1. A los madrileños no les gustan las películas.	☐	☐
2. En España cada año hay más bodas.	☐	☐
3. Si eres de Salamanca tienes más posibilidades de vivir muchos años.	☐	☐
4. En Toledo la gente es muy abierta.	☐	☐

PORTFOLIO DOSSIER

2.5.2. **¿Sabes dibujar el mapa de España? A continuación, cierra el libro y en grupos de cuatro colocad las comunidades anteriores en su lugar apropiado. ¿Qué grupo las ha situado correctamente?**

3 Rompiendo tópicos: no todos somos toreros ni flamencas

3.1. **Mirad estas fotos y discutid cuáles pertenecen a España y por qué.**

Para preguntar por la causa de algo:

► *¿Por qué te parece que es España?*

▷ *Porque hay un molino.*

3.2. ¿Qué sabes de España?

1. ¿Piensas que España es un país ruidoso?
2. ¿Crees que en España hace sol siempre?
3. ¿Qué piensas de la forma de hablar de los españoles?
4. ¿Qué opinas de los toros?
5. ¿Crees que el flamenco se baila en toda España?
6. ¿Qué opinas de la comida española?
7. ¿Cómo es la forma de ser de los españoles según tu opinión?
8. ¿Crees que España es un buen país para vivir?

Cudillero. Asturias

3.2.1. ¿Coinciden tus opiniones con las del resto de tus compañeros? ¿Y con las del profesor? ¿Qué piensas de los estereotipos sobre las distintas nacionalidades?

4 Mira, mira

4.1. Con tu compañero, relaciona los dibujos con las frases.

1. Mira, mira.
2. ¡Sácate el dedo de la nariz, Juan, por favor!
3. Beba agua, duerma mucho, haga ejercicio.
4. Pasen, pasen, adelante.
5. Coge la línea 2 hasta Sol.

a.

b.

c.

d.

e.

4.1.1. Clasifica las frases del ejercicio 4.1. según su uso.

1. **Dar instrucciones, explicaciones** ➡ ....
2. **Dar consejos** .... ➡ ....
3. **Dar órdenes, mandar** .... ➡ ....
4. **Invitar a hacer algo** .... ➡ ....
5. **Llamar, captar la atención** .... ➡ ....

Esta nueva forma verbal se llama **imperativo**.

4.2. [42] **Escucha estos diálogos atentamente.**

4.2.1. **Ahora, con la transcripción de los diálogos que te va a dar tu profesor, busca las formas de imperativo necesarias para completar este cuadro.**

	-ar	-er	-ir
Tú		coge	
Vosotros/as	perdonad		
Usted			siga
Ustedes	perdonen	cojan	sigan

El imperativo

- **Regular**

	-ar	-er	-ir
Tú	-a	-e	-e
Vosotros/as	-ad	-ed	-id
Usted	-e	-a	-a
Ustedes	-en	-an	-an

- **Irregular**

Oír .... **oye**
Hacer .... **haz**
Salir................... **sal**
Poner................. **pon**
Venir.................. **ven**
Decir .... **di**
Tener .... **ten**
Ir .... **ve**

La persona ***vosotros*** en imperativo es siempre regular.

4.3. **Completa el cuadro con los verbos irregulares.**

oíd • haz • haced • hagan • sal • oigan • venid • digan • id • pon • tened • pongan • salga • oiga • salgan • vaya • venga • tenga • di • ponga • decid • ve • tengan

	hacer	salir	poner	tener
Tú				ten
Vosotros/as		salid	poned	
Usted	haga			
Ustedes				

	ir	venir	decir	oír
Tú		ven		oye
Vosotros/as				
Usted			diga	
Ustedes	vayan	vengan		

¿Has visto? También son irregulares en imperativo todos los verbos que en presente tienen irregularidades vocálicas (e>ie, o>ue, e>i). Fíjate bien:

ci**e**rra, p**i**de, c**ue**nta, emp**ie**za, v**ue**lve

4.4. Aquí tienes las instrucciones de un cajero automático para sacar dinero. Completa los espacios en blanco con la forma correcta del imperativo. Usa la forma *usted*.

En primer lugar, (introducir) introduzca la tarjeta. Luego, (elegir) .... uno de los cuatro idiomas y (esperar) .... nuevas instrucciones. A continuación, (teclear) .... su número personal, (pulsar) .... la tecla "retirada de efectivo" y (marcar) .... la cantidad. Finalmente, (retirar) .... la tarjeta y (coger) .... el dinero.

Así puedes ordenar el discurso:

- Para empezar:
  - *Primero*
  - *En primer lugar*
- Para seguir:
  - *Luego*
  - *Después*
  - *A continuación*
- Para terminar:
  - *Finalmente*
  - *Por fin*
  - *Para acabar*
  - *Por último*

4.5. Pregunta a tu compañero cómo ir a:

- Su casa
- Un cibercafé
- Un supermercado
- Una parada de autobús
- Un cine

4.6. Lee el recuadro y relaciona las frases.

El imperativo y los pronombres

En español los pronombres de complemento directo cuando van con un imperativo afirmativo siempre se utilizan detrás del verbo y se escriben unidos a él.

Coge el metro »»» *cóge**lo***

Preguntad las direcciones »»» *preguntad**las***

1. Cruza la calle
2. Cruza el parque
3. Pasa los edificios
4. Pasa las casas

- **a.** Pás**alas**
- **b.** Crúza**lo**
- **c.** Crúza**la**
- **d.** Pása**los**

4.7. ¿Recuerdas las instrucciones para sacar dinero del cajero automático? ¿Por qué no sustituyes los sustantivos por pronombres? Aquí tienes los verbos y los nombres, solo tienes que relacionarlos y escribir, a la derecha, el imperativo con el pronombre.

1. introducir	a. dinero	
2. elegir	b. instrucción	
3. esperar	c. tarjeta	Introdúzcala
4. teclear	d. cantidad	
5. pulsar	e. número	
6. marcar	f. idioma	
7. coger	g. tecla	

4.8.

Alumno A

Vas a vivir un mes con una familia española. Acabas de llegar a la casa y quieres deshacer las maletas, pero no sabes dónde dejar las cosas. Pregunta al dueño de la casa dónde dejas:

- Tus bolsas de té.
- El gel, el champú y el cepillo de dientes.
- Las fotos de la familia.
- El abrigo.
- Los libros de español.
- Las botas de montaña.

Alumno B

En tu casa va a vivir un estudiante extranjero. Dile dónde puede poner sus cosas.

- En la estantería del cuarto de baño.
- En el armario de la cocina.
- En el armario.
- En el zapatero.
- En la mesilla de noche.
- En la mesa del estudio.

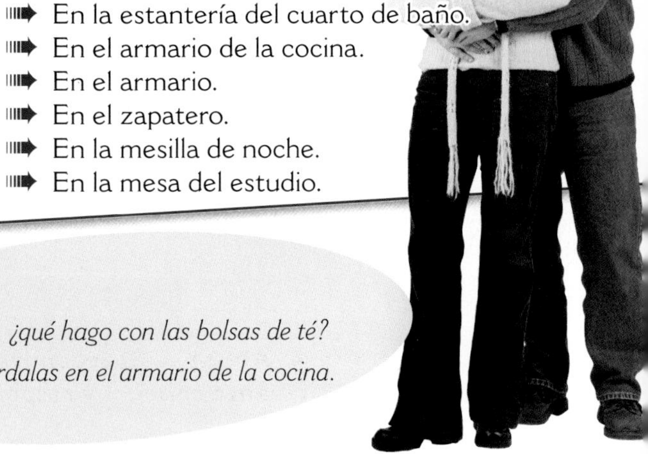

Ejemplo

- ► *Oye, ¿qué hago con las bolsas de té?*
- ► *Guárdalas en el armario de la cocina.*

5 Políticamente correctos

5.1. **Relaciona:**

1. ¿Puedo entrar?	**a.** No, es que lo necesito.
2. ¿Me dejas tu libro?	**b.** Sí, claro, entra.
3. ¿Se puede comer aquí?	**c.** No, aquí no se puede comer.

Para pedir permiso u objetos	Para concederlo	Para denegarlo
– ¿*Puedo* + infinitivo...?	– Sí, claro.	– No, lo siento, es que...
– ¿*Me dejas* + {infinitivo...? / sustantivo...?}	– Sí, por supuesto. – Sí, cómo no.	– No, es que...
– ¿*Se puede* + infinitivo...?	– Sí, sí, se puede... – *Sí,* + imperativo.	– No, no puedes, porque... – No, no se puede...

5.2. **Aquí tienes algunas situaciones en las que puedes pedir permiso, concederlo o denegarlo. Ahora, prepara un diálogo con tu compañero y preséntalo luego al resto de la clase.**

PORTFOLIO DOSSIER

1 Es tu primer día en la casa de una familia española.
Todos hablan muy rápido y alto y tú quieres decirles a todos que no hablen a la vez tan rápido y tan alto porque no comprendes nada.

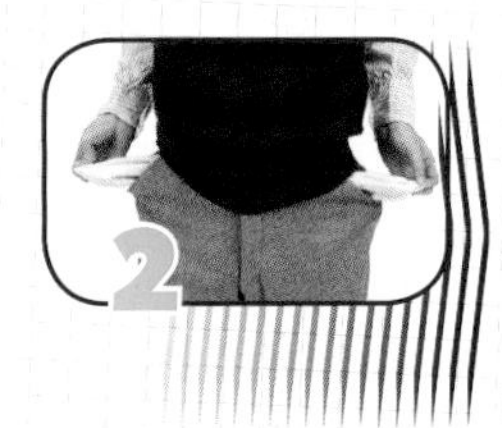

2 Es el cumpleaños de tu mejor amigo.
Te has olvidado completamente de este día y cuando te enteras es demasiado tarde y no tienes dinero. Tu compañero tiene 20 euros y tú quieres tener ese dinero, ir corriendo a una tienda y comprarle un regalo.

3 **Estás en casa de un amigo.**
Quieres jugar con su ordenador, dormir un rato la siesta en el sofá, merendar en su casa y que su madre te prepare uno de sus ricos platos para cenar.

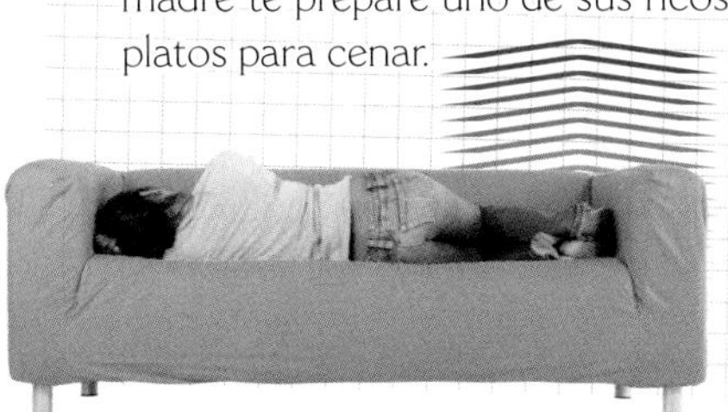

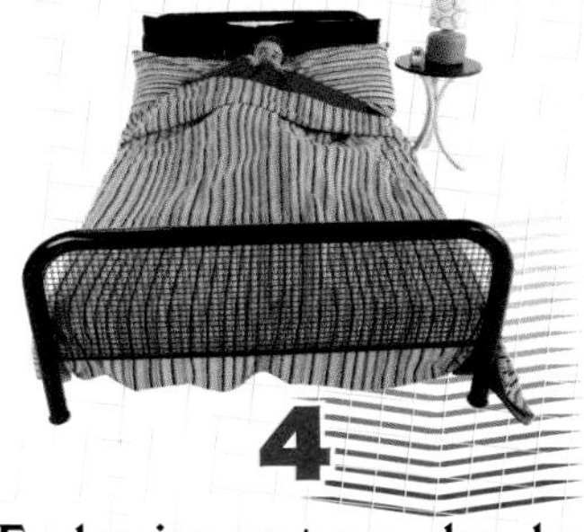

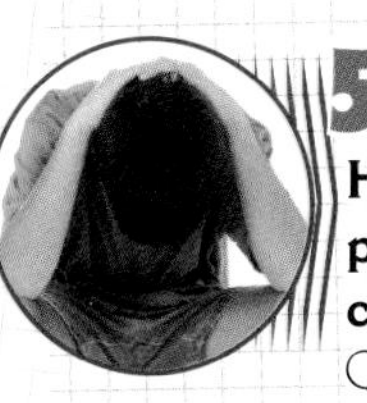

4 **Es domingo y tus padres han preparado una comida familiar con todos los miembros al completo.**
Tú quieres levantarte tarde, desayunar tranquilo y pasar el domingo con tus amigos en la playa.

5 **Hoy es tu último examen pero se te ha olvidado completamente.**
Quieres decirle a tu profesor que estás enfermo, que crees que tienes fiebre, que te vas a marear. Quieres hacerlo otro día e irte inmediatamente a casa a estudiar.

5.3. [43] **Ahora vas a aprender a ofrecer cosas, a aceptarlas y a rechazarlas. Escucha la siguiente canción y responde:**

¿Qué cosas le ofrece Elena a Paula?

5.3.1. [43] **Vuelve a escuchar y anota todas las expresiones que utilizan para ofrecer, aceptar y rechazar. Compara con tu compañero.**

- Ofrecer: ....
- Aceptar: ....
- Rechazar: ....

¿Has visto? Elena le dice a Paula ***coge, coge***. Esto es porque en español a menudo repetimos el imperativo cuando ofrecemos o permitimos algo a otra persona. Fíjate:

► *¿Me dejas tu libro?*
▷ *Toma, toma.*

► *¿Puedo entrar?*
▷ *Entra, entra.*

5.3.2. **Completa este cuadro con algunas de las expresiones que has anotado.**

Para invitar y ofrecer

¿ .... { tomar/comer algo? / { un/una / otro/otra / más / un trozo de / un poco de } + objeto, comida o bebida? }

Para aceptar:

Sí, ... ,
Sí, ... ,pero { un poco. / solo un poco. / no mucho. / no muy caliente. / no muy frío. }

Para rechazar:

No, gracias, { no como entre horas. / no bebo. / .... no puedo tomar... }

No, ... , gracias, ... ya no puedo más.

5.3.3. **Ahora imagina que has organizado una fiesta con tus compañeros y que cada uno ha preparado algunas cosas para tomar. Ofréceles a tus amigos lo que has preparado.**

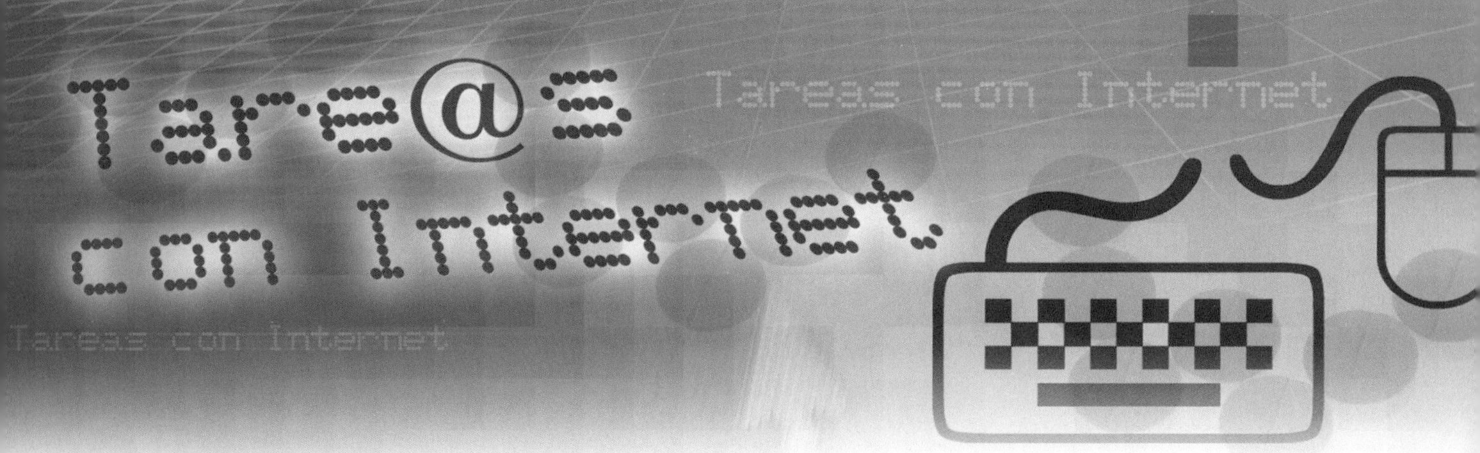

1 **Vamos a seguir conociendo un poco más España y sus comunidades a través de Internet. En grupos pequeños, entrad en la siguiente página web:**

www.red2000.com/spain/region/1index.html

1. **Fijaos bien en el mapa de España.**
2. **Dividid la clase en grupos de tal manera que cada uno escoja una comunidad diferente.**
3. **Entrad en la comunidad escogida. Leed detenidamente la información y completad los siguientes cuadros.**

Provincias	Capital de la comunidad	Número de habitantes	Clima por estaciones

Rasgos del paisaje	Características tradicionales	Idiomas que se hablan

2 **Ahora que cada grupo tiene la información de una comunidad diferente, ¿por qué no intercambiáis vuestros conocimientos?**

PORTFOLIO DOSSIER

1 ¿Qué expresiones utilizas para dar y pedir opinión?

....

2 ¿Cómo expresas el acuerdo y el desacuerdo?

....

3 ¿Qué tipo de negaciones has aprendido en esta unidad?

....

4 Escribe tres adjetivos que expresen cualidades positivas y tres que expresen cualidades negativas.

- ....
- ....
- ....
- ....
- ....
- ....

5 Elabora frases con tres de ellos que expresen una opinión.

....

....

....

6 ¿Cuántas comunidades autónomas hay en España?

....

7 Escribe el nombre de una ciudad española del norte, otra del sur y otra del centro. No te olvides de indicar la comunidad a la que pertenecen.

- ....
- ....
- ....

8 Escribe dos usos del imperativo.

....

....

9 Escribe el imperativo en la forma *tú/usted* de los siguientes verbos:

- Hacer ....
- Tener ....
- Poner ....
- Salir ....
- Venir ....
- Ir ....

10 Explícale a tu compañero qué tiene que hacer para llegar a tu casa. No te olvides de utilizar el imperativo.

....

11 ¿Qué formas utilizas para pedir permiso? ¿Para concederlo? ¿Para denegarlo?

- ....
- ....
- ....

12 Utiliza las formas de opinión que has aprendido para valorar esta unidad. ¿Que es lo más fácil? ¿Y lo más difícil?

....

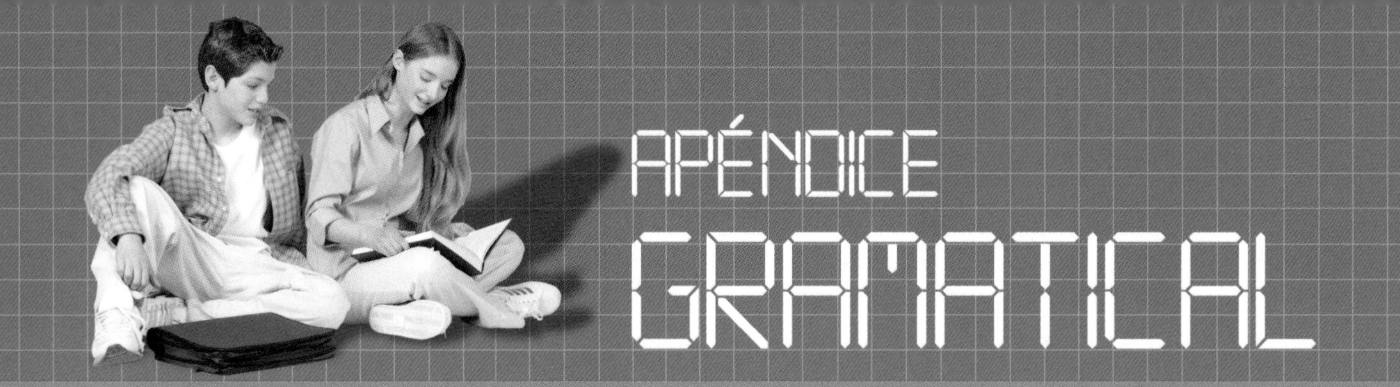

El artículo

El artículo concuerda en género y número con el sustantivo. Hay dos clases de artículo: determinado e indeterminado.

- **Artículo determinado:** sirve para identificar y hablar de un objeto o ser que conocemos o del que ya hemos hablado anteriormente.

	masculino	femenino
singular	el	la
plural	los	las

Omisión del artículo determinado. El artículo no aparece con:
- Nombres propios: *Eduardo es muy simpático.*
- Verbo *ser, estar* + días de la semana, estaciones del año: *Hoy es lunes; Estamos en verano.*

- **Artículo indeterminado:** sirve para hablar de un objeto o ser por primera vez.

	masculino	femenino
singular	un	una
plural	unos	unas

En clase hay un estudiante griego. El estudiante griego está ahora en clase de gramática.

Recuerda:
- De + el = del ➔ *Este es el libro del alumno.*
- A + el = al ➔ *Vamos al cine.*

El género del sustantivo

- Suelen ser sustantivos de **género masculino:**
  - Los nombres de personas y animales de sexo masculino: *el profesor, el león.*
  - Los nombres terminados en -o, -or, -aje: *el bolígrafo, el calor, el equipaje.*
  - La mayoría de los nombres de árboles: *el manzano, el peral, el naranjo.*
  - Los nombres de los días de la semana: *el lunes, el domingo.*

Recuerda: *la mano, la radio.*

- Suelen ser sustantivos de **género femenino:**
  - Los nombres de personas y animales de sexo femenino: *la profesora, la leona.*
  - Los nombres terminados en -a, -consonante: *la mesa, la ciudad, la razón.*

Recuerda: *el problema, el día, el mapa, el diploma.*

Generalmente el femenino se forma a partir del masculino:
- -o > -a: *chico/chica.*
- Se añade una -a a la palabra masculina que termina en -or: *profesor/profesora.*

Recuerda: *el hombre/la mujer, el rey/la reina, el padre/la madre.*

El número

Nombres terminados en:
- Vocal + s: *la gata/las gatas.*
- Consonante, y, í + es: *la amistad/las amistades, el rey/los reyes, el esquí/los esquíes.*
- z > ces: *el pez/los peces.*

Recuerda: *el paraguas/los paraguas, las gafas, las tijeras* (siempre en plural).

El adjetivo

El adjetivo concuerda en género y número con el sustantivo al que acompaña: *el alumno sueco/los alumnos suecos.*
Si el adjetivo se refiere a dos o más sustantivos y uno es masculino, el adjetivo será masculino.
- Los adjetivos que terminan en -o forman el femenino en -a: *malo/mala.*
- Los adjetivos que terminan en consonante forman el femenino añadiendo una -a: *español/española.*
- Algunos adjetivos que terminan en consonante son invariables: *difícil, joven.*
- El plural de los adjetivos se forma añadiendo una -s cuando el adjetivo termina en vocal y -es cuando termina en consonante: *guapo/guapos, joven/jóvenes.*

Los comparativos

- **Comparativos regulares: más... que, menos... que, tan... como.**
  - Superioridad: **más** + adjetivo + **que** ➡ *El avión es **más** rápido **que** el coche.*
  - Inferioridad: **menos** + adjetivo + **que** ➡ *Ir en bici es **menos** cómodo **que** ir en tren.*
  - Igualdad: **tan** + adjetivo + **como** ➡ *Mi casa es **tan** grande **como** la tuya.*
- **Comparativos irregulares: mejor/mejores, peor/peores, mayor/mayores, menor/menores.**
  - Bueno, -a, -os, -as: **mejor/mejores** + **que** ➡ *Mi móvil es **mejor que** el tuyo.*
  - Malo, -a, -os, -as: **peor/peores** + **que** ➡ *Tu móvil es **peor que** el mío.*
  - Grande, -es: **mayor/mayores** + **que** ➡ *Tus hermanos son **mayores que** tú.*
  - Pequeño, -a, -os, -as: **menor/menores** + **que** ➡ *Mi sobrina Rebeca es **menor que** mi sobrino Marcos.*

Los adjetivos y pronombres demostrativos

	masculino			femenino			neutro		
singular	este	ese	aquel	esta	esa	aquella	esto	eso	aquello
plural	estos	esos	aquellos	estas	esas	aquellas			

- **Uso de los adjetivos y los pronombres demostrativos.**
  - Los adjetivos demostrativos acompañan al nombre y concuerdan con él en género y número:
    - ***Este** libro es mío.*
    - *¿De quién son **aquellas** hojas que hay encima de la mesa?*
    - ***Esos** bolígrafos no funcionan.*
  - Los pronombres demostrativos no acompañan al nombre, pero concuerdan en género y número con el nombre al que nos referimos:

    ▷ *¡Hola, Encarna! ¿Cómo estás?*
    ► *Muy bien, gracias. Mira, **esta** es Manuela, mi hermana.*

    ▷ *¿Te gustan estos plátanos?*
    ► *No, me gustan **aquellos**.*
  - **Esto, eso** y **aquello** son pronombres demostrativos neutros que usamos cuando no conocemos el nombre de alguna cosa:

    ▷ *¿Qué es **esto**?*
    ► *Es una lámpara.*

    ▷ *¿Qué es **eso**?*
    ► *Es un teléfono móvil.*

    ▷ *¿Qué es **aquello**?*
    ► *Son unas zapatillas.*
  - Usamos **este, esta, estos, estas** y **esto** cuando nos referimos a algo cercano a nosotros. Los relacionamos con el adverbio **aquí**:
    - ***Este** es mi móvil.*
  - Usamos **ese, esa, esos, esas** y **eso** cuando nos referimos a algo menos cercano a nosotros. Los relacionamos con el adverbio **ahí**:
    - ***Esas** botas son de Luis.*
  - Usamos **aquel, aquella, aquellos, aquellas** y **aquello** cuando nos referimos a algo lejano a nosotros. Los relacionamos con el adverbio **allí**:
    - ***Aquella** bicicleta es de mi primo.*

Los adjetivos y pronombres posesivos

Los posesivos establecen una relación de pertenencia entre objetos y personas. Concuerdan en género y número con la cosa poseída, no con la persona poseedora.

un poseedor	adjetivo	pronombre
Yo	mi/s	mío/a/os/as
Tú	tu/s	tuyo/a/os/as
Él/ella/usted	su/s	suyo/a/os/as

dos o más poseedores	adjetivo	pronombre
Nosotros/as	nuestro/a/os/as	nuestro/a/os/as
Vosotros/as	vuestro/a/os/as	vuestro/a/os/as
Ellos/ellas/ustedes	su/s	suyo/a/os/as

- Los adjetivos posesivos van delante del nombre: *Mi amigo Pedro es andaluz.*
- Los pronombres posesivos pueden ir acompañados del artículo (el/la/los/las): *Su casa es más grande que la mía.*

Los pronombres personales

Pronombres de sujeto

- Sirven para referirse a las personas que intervienen en la conversación.

	singular	plural
1.ª persona	yo	nosotros/as
2.ª persona	tú	vosotros/as
3.ª persona	él/ella/usted	ellos/ellas/ustedes

Pronombres de objeto directo

Yo	**me**
Tú	**te**
Él/ella/usted	**la/lo (le)**
Nosotros/as	**nos**
Vosotros/as	**os**
Ellos/ellas/ustedes	**las/los**

Recuerda:
los pronombres de 3.ª persona han de concordar en género y número con el nombre al que sustituyen.

- **Usos del pronombre de objeto directo.**
  - Usamos el pronombre de objeto directo para sustituir al nombre y evitar su repetición:
    - ▷ *¿Tienes el libro de matemáticas?*
    - ► *Sí, **lo** tengo en mi casa.*
    - ▷ *¿Quién compra la tarta de cumpleaños?*
    - ► ***La** compramos nosotros.*
  - Los pronombres de objeto directo siempre van delante del verbo:
    - ▷ *¿Vais a limpiar las habitaciones?*
    - ► *Sí, **las limpiamos** hoy.*
    - ▷ *¿Dónde hacen Laura y Javier los deberes?*
    - ► ***Los hacen** en la biblioteca.*
  - Si el verbo va en infinitivo o gerundio, el pronombre también puede ir detrás:
    - ▷ *¿Estás estudiando la lección?*
    - ► *Sí, estoy estudiándo**la**./Sí, **la** estoy estudiando.*
    - ▷ *¿Compras tú el pan?*
    - ► *Sí, ahora voy a comprar**lo**./Sí, ahora **lo** voy a comprar.*

Recuerda:
si ponemos el pronombre detrás del gerundio o del infinitivo lo escribimos todo junto, formando una sola palabra.

- **Lo/los** son los pronombres masculinos de 3.ª persona. **Lo** se puede cambiar por **le** cuando sustituye a una persona masculina:
  - *Carmen quiere mucho a Francisco.* ➜ *Carmen **lo/le** quiere mucho.*

Pronombres de objeto indirecto

Yo	(a mí)	**me**
Tú	(a ti)	**te**
Él/ella/usted	(a él/ella/usted)	**le**
Nosotros/as	(a nosotros/as)	**nos**
Vosotros/as	(a vosotros/as)	**os**
Ellos/ellas/ustedes	(a ellos/ellas/ustedes)	**les**

Recuerda:
los verbos *gustar, encantar, importar, doler* van siempre acompañados del pronombre de objeto indirecto, dependiendo de la persona.
▷ *¿**Te** gusta el gazpacho?*
► *Sí, **me** encanta.*

- El orden de los pronombres objeto, cuando aparecen juntos en la frase, es el siguiente: **objeto indirecto + objeto directo + verbo**:
  - *¿Tienes aquí tu coche? **¿Me lo** dejas?*
- El pronombre de objeto indirecto (le/les) cambia por se cuando va delante del pronombre de objeto directo de tercera persona: (lo, la, los, las).
  - ▷ *¿Le has comprado el periódico a tu padre?*
  - ► *Sí, ya **se** lo he comprado.*

Los pronombres reflexivos

- Indican que la acción del verbo recae sobre el sujeto de la oración y se colocan delante de las formas personales del verbo.
- Estas formas acompañan siempre a los verbos reflexivos.

	pronombre reflexivo	verbo (levantarse)
Yo	**me**	**levanto**
Tú	**te**	**levantas**
Él/ella/usted	**se**	**levanta**
Nosotros/as	**nos**	**levantamos**
Vosotros/as	**os**	**levantáis**
Ellos/ellas/ustedes	**se**	**levantan**

Recuerda: otros verbos reflexivos comunes son *ducharse, vestirse, lavarse, sentarse...*

Los numerales

- **Los números cardinales.**

30	treinta	**50**	cincuenta	**110**	ciento diez
31	treinta y uno	**52**	cincuenta y dos	**122**	ciento veintidós
32	treinta y dos	**60**	sesenta	**135**	ciento treinta y cinco
33	treinta y tres	**63**	sesenta y tres	**200**	doscientos/as
34	treinta y cuatro	**70**	setenta	**300**	trescientos/as
35	treinta y cinco	**74**	setenta y cuatro	**400**	cuatrocientos/as
36	treinta y seis	**80**	ochenta	**500**	quinientos/as
37	treinta y siete	**85**	ochenta y cinco	**600**	seiscientos/as
38	treinta y ocho	**90**	noventa	**700**	setecientos/as
39	treinta y nueve	**96**	noventa y seis	**800**	ochocientos/as
40	cuarenta	**100**	cien	**900**	novecientos/as
41	cuarenta y uno	**101**	ciento uno	**1000**	mil

Recuerda: *cien* se usa solamente para designar la cifra 100. El resto es *ciento*.
– Tengo cien euros para toda la semana.
– En este curso hay ciento veinticinco alumnos.

- **Los números ordinales.**

1.º/ 1.ª	primero/primera	**6.º/ 6.ª**	sexto/sexta
2.º/ 2.ª	segundo/segunda	**7.º/ 7.ª**	séptimo/séptima
3.º/ 3.ª	tercero/tercera	**8.º/ 8.ª**	octavo/octava
4.º/ 4.ª	cuarto/cuarta	**9.º/ 9.ª**	noveno/novena
5.º/ 5.ª	quinto/quinta	**10.º/ 10.ª**	décimo/décima

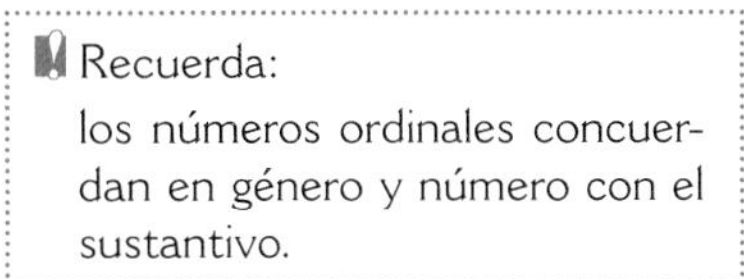
Recuerda:
los números ordinales concuerdan en género y número con el sustantivo.

Los pronombres y adjetivos indefinidos

- **Los pronombres indefinidos.**

variables		
	singular	**plural**
afirmativo	alguno/alguna	algunos/algunas
negativo	ninguno/ninguna	ningunos/ningunas

invariables		
	persona	**cosa**
afirmativo	alguien	algo
negativo	nadie	nada

- **Los adjetivos indefinidos.**

	singular	**plural**
afirmativo	algún/alguna	algunos/algunas
negativo	ningún/ninguna	ningunos/ningunas

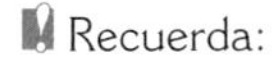

Recuerda:
los pronombres y adjetivos indefinidos variables concuerdan en género y número con la palabra a la que sustituyen o acompañan.

- **Uso de los pronombres y los adjetivos indefinidos variables.**

Usamos los indefinidos para hablar de la existencia o no de algo o de alguien.

- Usamos **algún, alguno, alguna, algunos, algunas** y **ningún, ninguno, ninguna** cuando nos referimos a personas y a cosas:
  ▷ *¿Tienes **algún** juego de fútbol de la Play Station?*
  ► *No, no tengo **ninguno**.*
  *– **Algunas** personas comen sin sal.*

- **Alguno** o **ninguno** pierden la **-o** cuando van delante de un nombre masculino singular y entonces los escribimos con acento: **algún, ningún**:
  ▷ *¿Tienes **algún** juego de fútbol de la Play Station?*
  ► *No, no tengo **ninguno**.* ➜ *No, no tengo **ningún** juego de fútbol.*
  *– Hay refrescos en el frigorífico, ¿quieres **alguno**?* ➜ *¿Quieres **algún** refresco?*

Recuerda:
normalmente no usamos ***ningunos, ningunas***.

- **Uso de los pronombres invariables.**

- Cuando hablamos de personas usamos **alguien** y **nadie**:
  ▷ *¿Hay **alguien** en el comedor?*
  ► *No, no hay **nadie**.*

- Cuando hablamos de cosas usamos **algo** y **nada**:
  ▷ *¿Tienes **algo** en el cajón del armario?*
  ► *No, no tengo **nada**.*

Los interrogativos

Hay dos clases de interrogativos: variables e invariables.

- **Interrogativos variables.**
  - **Cuánto, cuánta, cuántos, cuántas** + nombre / **Cuánto** + verbo:

    ▷ *¿**Cuántos** años tienes?*
    ► *Tengo 37 años.*

    ▷ *¿**Cuánto** cuestan esas naranjas?*
    ► *1 euro el kilo.*

- **Interrogativos invariables.**
  - **Qué** + nombre/verbo:

    Usamos **qué** para preguntar por algo que desconocemos:

    ▷ *¿**Qué** queréis cenar?*
    ► *Pan con tomate y jamón.*

    ▷ *¿**Qué** hora es?*
    ► *Son las seis menos diez.*

  - **Dónde** + verbo:

    Usamos **dónde** para preguntar el lugar:

    ▷ *¿**Dónde** vive Miguel?*
    ► *Vive cerca de la Sagrada Familia.*

    ▷ *¿**Dónde** hay un supermercado?*
    ► *En la calle Condal hay uno muy grande.*

  - **Cómo** + verbo:

    Usamos **cómo** para preguntar por el modo:

    ▷ *¿**Cómo** quieres los tomates?*
    ► *Los quiero verdes, para hacer una ensalada.*

    ▷ *¿**Cómo** es tu jersey nuevo?*
    ► *Es de rayas negras y blancas, ¡muy bonito!*

A veces los interrogativos llevan delante una preposición:

▷ *¿**A qué** hora te levantas?*
► *Me levanto todos los días a las 9.30 h.*

▷ *¿**De qué** color son tus zapatos nuevos?*
► *Son marrones.*

▷ *¿**A cómo** están las cerezas?*
► *A 9 euros el kilo.*

Los adverbios

El adverbio es invariable en género y número: *La niña es **muy** alta/Los niños son **muy** altos.*

Clases de adverbios

- **Adverbios de cantidad:** *muy, mucho, bastante, todo, nada, poco...*
  - **Muy** + adjetivo/adverbio:
    - *Ese pantalón es **muy** caro.*
    - *La escuela está **muy** lejos de mi casa.*
  - Verbo + **mucho**:
    - *El flamenco me gusta **mucho**.*
    - *Mis sobrinos juegan **mucho** con la Nintendo.*

- **Adverbios de lugar:** *aquí, ahí, allí, abajo, arriba, dentro, fuera, lejos, cerca...*

- **Adverbios de tiempo:** *ayer, hoy, mañana, nunca, pronto, tarde...*

- **Adverbios de frecuencia:** *siempre, a menudo, muchas veces, alguna vez, a veces...*

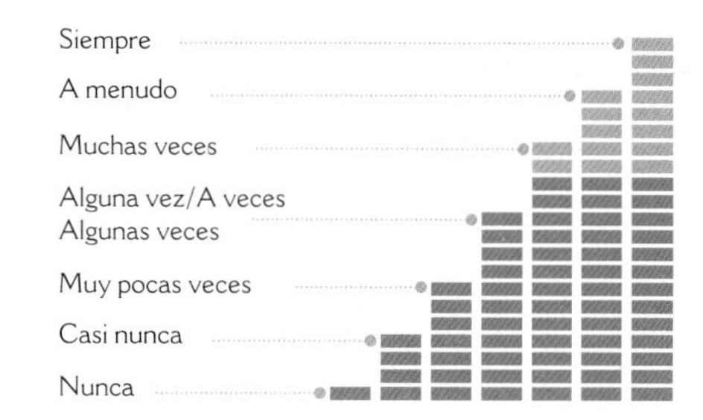

> Recuerda:
> utilizamos los adverbios y expresiones de frecuencia para expresar las cosas que hacemos habitualmente.
> – *Todos los días/los meses/los años.*
> – *Todas las semanas.*
> – *Cada día/tres meses/año...*
> – *Dos/Tres/... veces **a la** semana/al mes/al año...*
> – *Dos/Tres/... veces **por** semana/mes/año...*

- **Adverbios de afirmación y negación:** *sí, no, también, tampoco, ciertamente, nunca, jamás...*
  - Con los adverbios ***también*** y ***tampoco*** expresamos coincidencia o acuerdo con lo que dice otra persona:

    ▷ *Yo tengo coche.*
    ► *Yo **también**.*

    ▷ *A mí me encanta ir a la playa por la tarde.*
    ► *A mí **también**.*

    ▷ *Este año **no** voy de vacaciones.*
    ► *Nosotros **tampoco**.*

    ▷ ***No** me gustan los gatos.*
    ► *A mí **tampoco**.*

- Con los adverbios ***sí*** y ***no*** expresamos no coincidencia o desacuerdo con lo que dice otra persona:

▷ *Yo tengo coche.*
► *Yo **no**.*

▷ *Este año **no** voy de vacaciones.*
► *Nosotros **sí**.*

▷ *A mí me encanta ir a la playa por la tarde.*
► *A mí **no**.*

▷ ***No** me gustan los gatos.*
► *A mí **sí**.*

- **Adverbios de duda:** *quizá, tal vez, seguramente...*

- **Adverbios en -mente:** expresan modo y se forman a partir de un adjetivo, añadiendo al femenino la terminación -mente: *ciertamente, rápidamente, cómodamente...*

La preposición

Es una partícula invariable que sirve para unir palabras y relacionarlas.

- **A**
  - Indica dirección y movimiento: *Vamos a Andorra.*
  - Se usa para decir las horas: *Te espero a las 9 en punto.*
  - Se usa junto a los nombres de las estaciones y los meses del año: *Jordi tiene vacaciones en octubre; En invierno vamos a esquiar.*
  - Indica el medio de transporte: *Voy en metro.*

Recuerda: *Voy **a** pie/Voy **a** caballo.*

- **Con/sin**
  - *Con* expresa compañía: *Voy al cine con Luis.*
  - *Sin* expresa ausencia: *Estoy sin dinero.*
- **De**
  - Indica posesión: *Este es el coche de mi hermano.*
  - Materia: *Tengo un reloj de oro.*
  - Origen: *Soy de Zaragoza.*
- **Desde/hasta**
  - *Desde* indica el inicio de algo en el espacio y en el tiempo y *hasta*, el fin: *Estudio desde las dos hasta la hora de cenar; Voy andando desde mi casa hasta la escuela.*
- **En**
  - Indica el lugar donde se produce una acción determinada: *Los domingos como en casa de mis abuelos.*
  - Se usa para expresar el lugar donde algo o alguien está situado: *Los libros están en la mesa.*
- **Para**
  - Indica la finalidad u objetivo de algo: *Las vacaciones son para descansar.*
  - Indica el destinatario o beneficiario de algo: *Esta carta es para ti.*
  - Expresa la dirección del movimiento: *Voy para casa.*
- **Por**
  - Indica causa: *Muere mucha gente en el mundo por hambre.*
  - Se usa para expresar un periodo de tiempo: *Estudio por la mañana.*
  - Indica el medio: *El paquete llega por avión.*
  - Indica precio: *Lo compró por cien euros.*
  - ***A través de***: *El tren pasa por Córdoba para ir a Sevilla.*

La negación

- **Negación neutra o débil.**

Usamos expresiones como: ***bueno, bueno, no...; no*** + información; ***nunca*** + información.

▷ *Estoy cansada de mi jefe. ¡Voy a cambiar de trabajo!*
► ***Bueno, bueno, no** hay que tomar decisiones tan importantes sin pensar antes.*

▷ *¿Vas a ir este año de vacaciones a Italia?*
► *No lo sé, porque **no** tengo mucho dinero.*

▷ *¿Vamos al cine esta noche?*
► ***No** me apetece.*
▷ *¡**Nunca** te apetece!*

- **Negación fuerte.**

Usamos expresiones como: ***¡ni hablar!; no quiero ni*** + infinitivo; ***¡que no!; para nada***.

▷ *Mamá quiero chocolate.*
► ***¡Ni hablar!** No se come chocolate antes de la cena.*
▷ *Solo un poco...*
► ***¡Que no!***

▷ *¿Sabes algo de Alberto?*
► *No, y **no quiero ni oír** su nombre.*
▷ *¿No quieres volver a verlo?*
► *No, **para nada**.*

- **Doble negación.**

Usamos expresiones como: ***no ... nada, no ... nunca jamás; ni ... ni***.

▷ *¿Quieres tomar algo?*
► ***No** gracias, **nada**.*

▷ *¿Quieres leer este libro de poemas?*
► *No, no me gusta **ni** la poesía **ni** las biografías, prefiero la novela.*

▷ *¿Van a volver tus padres al restaurante de la playa?*
► *Dicen que **nunca jamás**, no les gusta nada.*

El sistema verbal

Hay tres grupos de verbos que se clasifican según su terminación: **-ar, -er, -ir.**

Presente de indicativo

■ **Verbos regulares.**

	escuch**ar**	beb**er**	escrib**ir**
Yo	escuch**o**	beb**o**	escrib**o**
Tú	escuch**as**	beb**es**	escrib**es**
Él/ella/usted	escuch**a**	beb**e**	escrib**e**
Nosotros/as	escuch**amos**	beb**emos**	escrib**imos**
Vosotros/as	escuch**áis**	beb**éis**	escrib**ís**
Ellos/ellas/ustedes	escuch**an**	beb**en**	escrib**en**

■ **Verbos irregulares.**

Dentro de los verbos irregulares en presente de indicativo hay varios grupos.

- **Verbos con irregularidad en la 1.ª persona del singular:**

	estar	hacer	ver	conocer
Yo	**estoy**	**hago**	**veo**	**conozco**
Tú	estás	haces	ves	conoces
Él/ella/usted	está	hace	ve	conoce
Nosotros/as	estamos	hacemos	vemos	conocemos
Vosotros/as	estáis	hacéis	veis	conocéis
Ellos/ellas/ustedes	están	hacen	ven	conocen

Otros:
- salir ➜ **salgo**
- traer ➜ **traigo**
- dar ➜ **doy**
- poner ➜ **pongo**
- saber ➜ **sé**
- coger ➜ **cojo**

c ➜ zc en la 1.ª persona del singular de los verbos terminados en **-ecer**, **-ocer** y **-ucir**.
- traducir ➜ tradu**zc**o
- conducir ➜ condu**zc**o
- parecer ➜ pare**zc**o
- reconocer ➜ recono**zc**o

- **Cambios vocálicos:**

	e > ie entender	o > ue volver	e > i pedir	u > ue jugar
Yo	ent**ie**ndo	v**ue**lvo	p**i**do	j**ue**go
Tú	ent**ie**ndes	v**ue**lves	p**i**des	j**ue**gas
Él/ella/usted	ent**ie**nde	v**ue**lve	p**i**de	j**ue**ga
Nosotros/as	entendemos	volvemos	pedimos	jugamos
Vosotros/as	entendéis	volvéis	pedís	jugáis
Ellos/ellas/ustedes	ent**ie**nden	v**ue**lven	p**i**den	j**ue**gan

Otros:
- **e ➜ ie:** querer, cerrar, comenzar, empezar, perder, pensar, regar, merendar.
- **o ➜ ue:** poder, encontrar, dormir, acostarse, sonar, costar, recordar.
- **e ➜ i:** servir, vestirse.

Recuerda:
el cambio vocálico no afecta a la 1.ª y a la 2.ª persona del plural.

- **Verbos con doble irregularidad:**

	decir	tener	venir	oír
Yo	**digo**	**tengo**	**vengo**	**oigo**
Tú	d**i**ces	t**ie**nes	v**ie**nes	o**y**es
Él/ella/usted	d**i**ce	t**ie**ne	v**ie**ne	o**y**e
Nosotros/as	decimos	tenemos	venimos	oímos
Vosotros/as	decís	tenéis	venís	oís
Ellos/ellas/ustedes	d**i**cen	t**ie**nen	v**ie**nen	o**y**en

- **Otras irregularidades:**
  i > **y** (entre vocales)

	destruir
Yo	destru**yo**
Tú	destru**yes**
Él/ella/usted	destru**ye**
Nosotros/as	destruimos
Vosotros/as	destruís
Ellos/ellas/ustedes	destru**yen**

Otros: construir, concluir, contribuir, destituir, huir.

- **Verbos totalmente irregulares:**

	ir	ser
Yo	**voy**	**soy**
Tú	**vas**	**eres**
Él/ella/usted	**va**	**es**
Nosotros/as	**vamos**	**somos**
Vosotros/as	**vais**	**sois**
Ellos/ellas/ustedes	**van**	**son**

■ **Usos del presente de indicativo.**

- Para dar información sobre el presente:
  – *Ángeles y Javi* ***viven*** *en Sitges.* – *Anna* ***tiene*** *un coche de color rojo.* – *Mis hermanos* ***están*** *cansados.*
- Para hablar de lo que hacemos habitualmente:
  – *Todos los días* ***leo*** *el periódico.* – *Siempre* ***te levantas*** *a las 7.30 h.* – *Reina* ***va*** *a menudo a Lugo.*
- Para dar instrucciones:
  – *Para poner la lavadora primero* ***metes*** *la ropa dentro, después* ***echas*** *detergente y luego* ***presionas*** *el botón.*
- Para ofrecer y pedir cosas:
  ▷ *¿**Quieres** un zumo de naranja?*
  ► *Sí, gracias.*
  ▷ *¿Me **das** el mando de la TV, por favor?*
  ► *No, cógelo tú.*
- Para hacer definiciones:
  – *Coche:* ***es*** *un vehículo que* ***tiene*** *motor y cuatro ruedas.*
- Para hablar de futuro:
  – *Mañana* ***come*** *Mariam en mi casa.* – *En agosto* ***tenemos*** *una semana de vacaciones.*

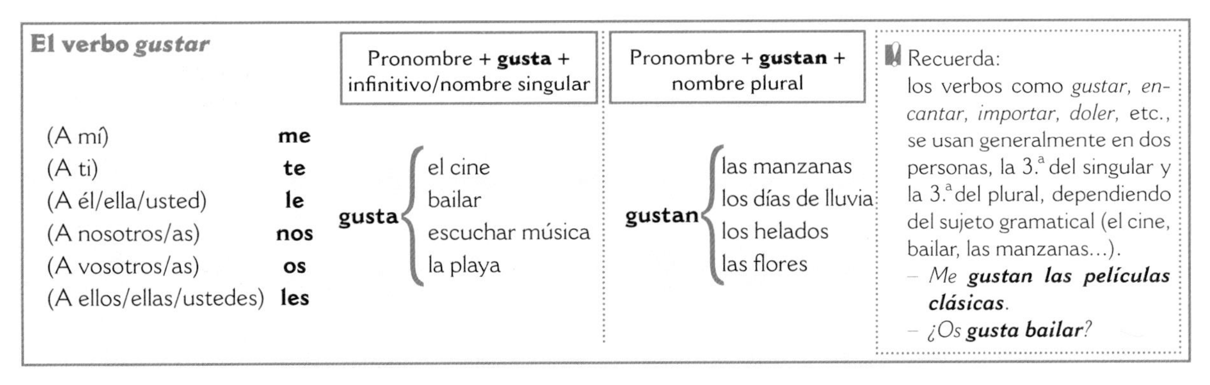

El verbo *gustar*

		Pronombre + **gusta** + infinitivo/nombre singular	Pronombre + **gustan** + nombre plural
(A mí)	**me**		
(A ti)	**te**	**gusta** el cine	**gustan** las manzanas
(A él/ella/usted)	**le**	bailar	los días de lluvia
(A nosotros/as)	**nos**	escuchar música	los helados
(A vosotros/as)	**os**	la playa	las flores
(A ellos/ellas/ustedes)	**les**		

Recuerda:
los verbos como *gustar*, *encantar*, *importar*, *doler*, etc., se usan generalmente en dos personas, la 3.ª del singular y la 3.ª del plural, dependiendo del sujeto gramatical (el cine, bailar, las manzanas...).
– *Me* ***gustan las películas clásicas***.
– *¿Os* ***gusta bailar****?*

Pretérito perfecto de indicativo

El pretérito perfecto es un tiempo compuesto; lo formamos con el presente del verbo *haber* más el participio de un verbo.

	estar	tener	venir
Yo	he estado	he tenido	he venido
Tú	has estado	has tenido	has venido
Él/ella/usted	ha estado	ha tenido	ha venido
Nosotros/as	hemos estado	hemos tenido	hemos venido
Vosotros/as	habéis estado	habéis tenido	habéis venido
Ellos/ellas/ustedes	han estado	han tenido	han venido

Recuerda:
la forma del participio es igual para todas las personas.

■ **Participios regulares.**

-ar ➜ ado	**-er/ -ir** ➜ ido
habl**ar** ➜ habl**ado**	com**er** ➜ com**ido**
cant**ar** ➜ cant**ado**	beb**er** ➜ beb**ido**
	viv**ir** ➜ viv**ido**
	sal**ir** ➜ sal**ido**

■ **Participios irregulares.**

hacer ➜ **hecho**
poner ➜ **puesto**
resolver ➜ **resuelto**
romper ➜ **roto**
ver ➜ **visto**
volver ➜ **vuelto**

abrir ➜ **abierto**
cubrir ➜ **cubierto**
decir ➜ **dicho**
descubrir ➜ **descubierto**
escribir ➜ **escrito**
morir ➜ **muerto**

- **Usos del pretérito perfecto.**
  - Usamos el pretérito perfecto para hablar de acciones terminadas en presente o en un periodo de tiempo no terminado. Utilizamos los siguientes marcadores temporales:

esta	mañana tarde noche semana	este	mes año fin de semana verano	hoy últimamente hace	 10 minutos dos horas un rato

– ***Esta mañana*** *he hablado con mi tía por teléfono.*
– *Joaquín y Mariam se han ido a su casa* ***hace un rato****.*
– ***Este verano*** *hemos estado de vacaciones en Almería.*

▷ *¿Qué ha hecho tu padre* ***esta tarde****?*
► *Ha visto una película de DVD.*

  - Usamos el pretérito perfecto para hablar de experiencias personales, preguntar por esas experiencias o dar informaciones atemporales. Normalmente utilizamos los siguientes marcadores temporales:

ya • todavía no • aún no • alguna vez • nunca • varias veces • (n.º) veces • jamás

▷ *¿Has visto* ***ya*** *la última película de Javier Bardem?*
► *No,* ***todavía no*** *la he visto.*
– *Hemos escuchado* ***varias veces*** *este CD. Nos gusta mucho.*

▷ *¿Has viajado* ***alguna vez*** *en avión?*
► *No,* ***nunca****. Me da miedo.*

  - También podemos usar el pretérito perfecto sin marcadores temporales; en ese caso expresa un pasado sin determinar:
    – *Me* ***he comprado*** *un libro de poesías de Benedetti.*
    – *Ana* ***ha perdido*** *las llaves del coche y no las encuentra.*
    – *Pepe y Juana* ***se han enfadado*** *por culpa de Antonio.*

Pretérito indefinido de indicativo

- **Verbos regulares.**

	viaj ar	**com er**	**sal ir**
Yo	viaj**é**	com**í**	sal**í**
Tú	viaj**aste**	com**iste**	sal**iste**
Él/ella/usted	viaj**ó**	com**ió**	sal**ió**
Nosotros/as	viaj**amos**	com**imos**	sal**imos**
Vosotros/as	viaj**asteis**	com**isteis**	sal**isteis**
Ellos/ellas/ustedes	viaj**aron**	com**ieron**	sal**ieron**

- **Algunos verbos irregulares.**

	ser/ir	**dar**	**estar**	**tener**	**hacer**
Yo	**fui**	**di**	**estuve**	**tuve**	**hice**
Tú	**fuiste**	**diste**	**estuviste**	**tuviste**	**hiciste**
Él/ella/usted	**fue**	**dio**	**estuvo**	**tuvo**	**hizo**
Nosotros/as	**fuimos**	**dimos**	**estuvimos**	**tuvimos**	**hicimos**
Vosotros/as	**fuisteis**	**disteis**	**estuvisteis**	**tuvisteis**	**hicisteis**
Ellos/ellas/ustedes	**fueron**	**dieron**	**estuvieron**	**tuvieron**	**hicieron**

- **Usos del pretérito indefinido.**

El pretérito indefinido se usa para expresar acciones del pasado no relacionadas con el tiempo presente:
– *Ayer por la tarde fui al cine.*
– *La semana pasada comí en casa de mis abuelos.*

El imperativo afirmativo

- **Imperativo regular.**
- **Imperativo irregular.**

	cant ar	**respond er**	**viv ir**	**pens ar**	**volv er**	**dorm ir**
Tú	cant**a**	respond**e**	viv**e**	p**ie**ns**a**	v**ue**lv**e**	d**ue**rm**e**
Vosotros/as	cant**ad**	respond**ed**	viv**id**	pens**ad**	volv**ed**	dorm**id**
Usted	cant**e**	respond**a**	viv**a**	p**ie**ns**e**	v**ue**lv**a**	d**ue**rm**a**
Ustedes	cant**en**	respond**an**	viv**an**	p**ie**ns**en**	v**ue**lv**an**	d**ue**rm**an**

Los verbos irregulares en presente de indicativo, mantienen la irregularidad en el imperativo, excepto en la forma de *vosotros/as*.

- **Otros verbos totalmente irregulares.**

	decir	hacer	ir	oír	poner	salir	tener	venir
Tú	**di**	**haz**	**ve**	**oye**	**pon**	**sal**	**ten**	**ven**
Vosotros/as	**decid**	**haced**	**id**	**oíd**	**poned**	**salid**	**tened**	**venid**
Usted	**diga**	**haga**	**vaya**	**oiga**	**ponga**	**salga**	**tenga**	**venga**
Ustedes	**digan**	**hagan**	**vayan**	**oigan**	**pongan**	**salgan**	**tengan**	**vengan**

- **Imperativo + pronombres.**
  - Cuando tenemos un verbo reflexivo o cuando el imperativo va acompañado de un pronombre, ponemos el pronombre detrás del verbo, formando una sola palabra:

    ▷ *¿Cierro la puerta?*
    ► *Sí, ciérra**la**.*

    – *Pon**te** el abrigo, hace frío.*

  - En la forma perteneciente a *vosotros* el imperativo pierde la **d**:
    – *¡Niños! Sentados en el sofá y estados quietos.* ➜ *¡Niños! sentaos en el sofá y estaos quietos.*

- **Usos del imperativo.**
  - **Dar órdenes:**
    a. Una madre a su hija: *Marina, **siéntate** y **haz** los deberes.*
    b. Un guardia urbano a un conductor: *¡Usted! **Quite** el coche, ahí no se puede aparcar.*
    c. El profesor a los alumnos: ***Escuchad** con atención y **tomad** notas.*

> Recuerda:
> a veces, para suavizar una orden, utilizamos *por favor*.
> – *Luis, **pon** la mesa, por favor.*

  - **Dar instrucciones:**
    a. Una receta de cocina: ***Pele** las patatas y **lávelas**. **Eche** aceite en la sartén y **encienda** el fuego.*
    b. Dar una dirección: ***Sigue** recto y al final de la calle **gira** a la izquierda.*
    c. Envolver un regalo: ***Mide** el papel y **córtalo**. **Pon** el regalo en medio, **envuélvelo** y **pégalo** con celo.*

  - **Dar consejos:**
    a. El médico al paciente: *Si se cansa cuando sube las escaleras, **haga** ejercicio más a menudo.*
    b. Un amigo a otro:
       ▷ *No sé qué hacer con Esther. Hace muchos días que no nos vemos.*
       ► ***Llámala** y **habla** con ella. Es mejor tener las cosas claras.*
    c. Un anuncio publicitario:
       *Si necesita descansar. Si quiere ver la televisión, escuchar música, leer tranquilamente, etc., esta es su oportunidad. ¡**Compre** nuestra XCOP!*

  - **Llamar la atención:**
    a. Un grupo de amigos en la montaña:
       ▷ *¡**Mirad, mirad**! ¡Un OVNI!*
       ► *¡Qué dices! Es un avión, tonto.*
    b. En una tienda de ropa:
       ▷ *¿Puedo probarme este vestido?*
       ► *Sí, claro. **Mira**, el probador está a la derecha.*
    c. En el despacho:
       ▷ ***Oiga**, señor director, ¿qué hago con estos informes?*
       ► *Póngalos en el archivador. Gracias.*

El gerundio: forma no personal del verbo

- **Gerundios regulares.**

-ar ➜ -ando	-er ➜ -iendo	-ir ➜ -iendo
habl**ar** ➜ habl**ando**	com**er** ➜ com**iendo**	viv**ir** ➜ viv**iendo**
cant**ar** ➜ cant**ando**	beb**er** ➜ beb**iendo**	sal**ir** ➜ sal**iendo**
nev**ar** ➜ nev**ando**	hac**er** ➜ hac**iendo**	escrib**ir** ➜ escrib**iendo**

- **Gerundios irregulares.**

ir ➜ **yendo**	decir ➜ **diciendo**
dormir ➜ **durmiendo**	reír ➜ **riendo**
morir ➜ **muriendo**	oír ➜ **oyendo**
leer ➜ **leyendo**	caer ➜ **cayendo**

GLOSARIO

Español	Francés	Italiano	Alemán	Portugués	Inglés
Abogado/a, el/la	Avocat/e, l'	Avvocato, l'	Anwalt, der/ Anwältin, die	Advogado/a, o/a	Lawyer
Abrigo, el	Manteau, le	Cappotto, il	Mantel, der	Casaco, o; sobretudo, o	Coat
Abrir	Ouvrir	Aprire	Öffnen	Abrir	To open
Absurdo/a	Absurde	Assurdo/a	Absurd	Absurdo/a	Absurd
Abuelo/a, el/la	Grand-père / Grand-mère, le/la	Nonno/a, il/la	Opa, der / Oma, die	Avô/ó, o/a	Grandfather/Grand-mother
Aburrido/a	Ennuyeux/euse	Noioso/a	Langweilig	Monótono/a	Boring
Aceituna, la	Olive, l'	Oliva, l'	Olive, die	Azeitona, a	Olive
Aceptar	Accepter	Accettare	Akzeptieren	Aceitar	Accept
Acostarse	Se coucher	Andare a letto; sdraiarsi	Schlafen gehen	Deitar-se	To lay down/To go to bed
Actor/actriz, el/la	Acteur/Actrice, l'	Attore/attrice, l'	Schauspieler(in), der/ die	Ator/atriz, o/a	Actor/Actress
Administrativo/a, el/la	Agent d'administration, l'	Amministrativo, l'	Verwaltungsangestell-te, der/die	Auxiliar Administrati-vo, o/a	Administrative officer, clerk
Admirar	Admirer	Ammirare	Bewundern	Admirar	To admire
Agradable	Agréable	Gradevole	Angenehm	Agradável	Nice
Ajo, el	Ail, l'	Aglio, l'	Knoblauch, der	Alho, o	Garlic
Albergue, el	Auberge de jeunesse, l'	Ostello, l'	Herberge, die	Albergue, o	Youth hostel
Alfombra, la	Tapis, le	Tappeto, il	Teppich, der	Tapete, o	Carpet
Almohada, la	Oreiller, l'	Cuscino, il	Kissen, das	Travesseiro, o	Pillow
Almuerzo, el	Déjeuner, le	Spuntino, lo; pranzo, il	Brunch, der	Lanche, o	Lunch
Alojamiento, el	Hébergement, l'	Alloggio, l'	Unterkunft, die	Hospedagem, a	Accommodation
Alubia, la	Haricot, le	Fagiolo, il	Bohne, die	Feijão, o	Bean
Amplio/a	Ample	Ampio	Weit	Amplo/a	Wide
Añadir	Ajouter	Aggiungere	Zufügen	Acrescentar	To add
Andar	Marcher	Camminare	Gehen	Andar, caminhar	To walk
Animado/a	Gai/e, Joyeux/euse	Vivace	Lebhaft	Animado/a	Cheerful
Aperitivo, el	Apéritif, l'	Aperitivo, l'	Aperitif, der	Aperitivo, o	Appetizer
Aprovechar	Profiter de	Approfittare	Ausnutzen, etw.	Aproveitar	To make the most of something
Armario, el	Armoire, l'	Armadio, l'	Schrank, der	Armário, o	Closet
Arquitecto/a, el/la	Architecte, l'	Architetto/a, l'	Architekt(in), der/die	Arquiteto/a, o/a	Architect
Arrancar	Arracher	Estirpare, sradicare	rausrei en	Arrancar	To pull out, to tear off
Arroz, el	Riz, le	Riso, il	Reis, der	Arroz, o	Rice
Asiento, el	Siège, le	Posto, sedile, il	Sitz, der	Assento, o; banco, o	Seat
Astronauta, el/la	Astronaute, l'	Astronauta, l'	Astronaut(in), der/die	Astronauta, o/a	Astronaut
Atasco, el	Embouteillage, l'	Imbottigliamento, l'	Stau, der	Engarrafamento, o	Traffic jam
Atractivo/a	Attractif/ve	Attrattivo/a	Atractivo/a	Atraente	Attractive
Atún, el	Thon, le	Tonno, il	Thunfisch, der	Atum, o	Tuna
Ayuntamiento, el	Mairie, la	Comune, il	Rathaus, das	Prefeitura, a	City Hall
Azafata, la	Hôtesse de l'air, l'	Hostess, l'	Flugbegleiter(in),der/die	Aeromoça, a	Air hostess
Bailar	Danser	Ballare	Tanzen	Dançar	To dance
Bañera, la	Baignoire, la	Vasca, la	Badewanne, die	Banheira, a	Bathtub
Barato/a	Bon marché	Economico/a	Billig	Barato/a	Cheap
Barba, la	Barbe, la	Barba, la	Bart, der	Barba, a	Beard
Barrio, el	Quartier, le	Quartiere, il	Stadtviertel, das	Bairro, o	Neighbourhood
Basura, la	Poubelle, la	Spazzatura, la	Müll, der	Lixo, o	Rubbish
Batir	Fouetter	Battere	Schlagen	Bater	To shake

Español	Francés	Italiano	Alemán	Portugués	Inglés
Bigote, el	Moustache, le	Baffi, i	Schurrbart, der.	Bigode, o	Moustache
Billete, el	Billet, le	Biglietto, il	Fahrkarte, die	Passagem, a	Ticket
Boca, la	Bouche, la	Bocca, la	Mund, der	Boca, a	Mouth
Bocadillo, el	Sandwich, le	Panino, il	Belegte Brötchen, das	Sanduíche, o	Sandwich
Bolso, el	Sac à main, le	Borsa, la	Tasche, die	Bolsa, a	Handbag
Borrador, el	Gomme, la	Cancellino, il	Radiergummi, der	Apagador, o	Eraser
Borrar	Effacer	Cancellare	Löschen	Apagar	To erase, to delete
Botas, las	Boutes, les	Stivali, gli	Stiefel, die	Botas, as	Boots
Brazo, el	Bras, le	Braccio, il	Arm, der	Braço, o	Arm
Bufanda, la	Écharpe, l'	Sciarpa, la	Schal, der	Cachecol, o	Scarf
Buscar	Chercher	Cercare	Suchen	Procurar	To search
Caballo, el	Cheval, le	Cavallo, il	Pferd, das	Cavalo, o	Horse
Cabeza, la	Tête, la	Testa, la	Kopf, der	Cabeça, a	Head
Caja, la	Boîte, la	Scatola, la	Kiste, die	Caixa, a	Box
Calabacín, el	Courgette, la	Zucchina, la	Zucchini, die	Abobrinha, a	Courgette
Calcetines, los	Chaussette, la	Calze, le	Strümpfe, die	Meias, as	Socks
Calefacción, la	Chauffage, le	Riscaldamento, il	Heizung, die	Calefação, a; aqueci-mento, o	Heating
Callado/a	Calme	Timido/a; zitto/a	Still	Quieto/a; calado/a	Quiet
Caluroso/a	Chaleureux/euse	Caloroso/a	Warm sein	Quente; caloroso	Warm, hot
Calvo/a	Chauve	Calvo/a	Glatze, die	Careca	Bold
Cama, la	Lit, le	Letto, il	Bett, das	Cama, a	Bed
Cámara de vídeo, la	Caméra vidéo, la	Videocamera, la	Videokamera, die	Filmadora, a	Camcorder
Camino, el	Chemin, le	Cammino, il	Weg, der	Caminho, o	Path, way
Camiseta, la	T-shirt, le	Maglietta, la	T-Shirt, das	Camiseta, a	T-shirt
Campo, el	Campagne, la	Campagna, la	Land, das	Campo, o	Field, countryside
Caña, la	Bière, la (un verre de bière)	Birra alla spina, la	Bier, das	Chope, o	Beer (small glass of beer)
Canapé, el	Canapé, le	Canapè, il	Kanapee, das	Canapé, o	Canapé
Cansado/a	Fatigué/e	Stanco/a	Müde	Cansado/a	Tired
Cariñoso/a	Affectueux/euse	Affettuoso/a	Liebevoll	Carinhoso/a	Affectionate
Carne, la	Viande, la	Carne, la	Fleisch, das	Carne, a	Meat
Carnicería, la	Boucherie, la	Macelleria, la	Fleischerei, die	Açougue, o	Butcher's
Caro/a	Cher/chère	Caro/a	Teuer	Caro	Expensive
Carpeta, la	Dossier, le	Cartella, la	Mappe, die	Pasta, a	Folder
Carretera, la	Autoroute, l'	Strada, la	Landstra e	Estrada, a	Road
Cartera, la	Portefeuille, le	Portafoglio, il	Geldbörse, die	Carteira, a	Wallet
Cartero/a, el/la	Facteur/-trice, le/la	Postino, il	Briefträger(in), der/die	Carteiro, o	Postman/Postwoman
Cebolla, la	Oignon, l'	Cipolla, la	Zwiebel, die	Cebola, a	Onion
Cenar	Dîner	Cenare	Abendessen	Jantar	To dine, to have dinner
Cepillo de dientes, el	Brosse à dents, la	Spazzolino, lo	Zahnbürste, die	Escova de dentes, a	Toothbrush
Cerdo, el	Porc, le	Maiale, il	Schwein, das	Porco, o	Pig
Chaqueta, la	Veste, la	Giacca, la	Jackett, das	Paletó, o	Jacket
Charlar	Bavarder	Chiacchierare	Unterhalten, sich	Bater papo	To chat
Chocolate, el	Chocolat, le	Cioccolato, il	Schokolade, die	Chocolate, o	Chocolate
Chorizo, el	Chorizo, saucisson, le	Salsiccia piccante, la	Chorizo, die	Chorizo, o (salami)	Chorizo, spicy sausage
Cielo, el	Ciel, le	Cielo, il	Himmel, der	Céu, o	Sky
Cine, el	Cinéma, le	Cinema, il	Kino, das	Cinema, o	Cinema
Cinturón, el	Ceinture, la	Cintura, la	Gürtel, der	Cinto, o	Belt
Claro/a	Clair/e	Chiaro/a	Hell	Claro/a	Clear
Clima, el	Climat, le	Clima, il	Klima, das	Clima, o	Weather
Coche, el	Voiture, la	Macchina, la	Auto, das	Carro, o	Car
Cocina, la	Cuisine, la	Cucina, la	Küche, die	Cozinha, a	Kitchen
Cocinero/a, el/la	Chef, le	Cuoco/a, il/la	Koch, der/ Köchin, die	Cozinheiro/a, o/a	Cook
Coger	Prendre	Prendere	Nehmen	Pegar	To catch, to take
Colgar	Accrocher	Appendere	Aufhängen	Pendurar	To hang
Coliflor, la	Chou-fleur, le	Cavolfiore, il	Blumenkohl	Couve-flor, a	Cauliflower

Español	Francés	Italiano	Alemán	Portugués	Inglés
Colonia, la	Eau de toilette, l'	Acqua di colonia, l'	Kölnisch Wasser, das	Colônia, a	Cologne
Cómoda, la	Commode, la	Comò, il	Kommode, die	Cômoda, a	Chest of drawers
Cómodo/a	Confortable	Comodo/a	Angenehm	Fácil; cômodo/a, à vontade	Comfortable
Conducir	Conduire	Guidare	Fahren	Dirigir	To drive
Conductor, el	Conducteur/trice, le/la	Autista, l'	Fahrer(in), der/die	Motorista, o/a	Driver
Conseguir	Arriver à, Obtenir, Réussir	Ottenere	Erreichen	Conseguir	To achieve, to get
Consejo, el	Conseil, le	Consiglio, il	Rat, der	Conselho, o	Advice
Contaminante	Polluant	Contaminante	Umweltschädlich	Contaminante	Pollutant
Cordero, el	Agneau, l'	Agnello, l'	Lamm, das	Cordeiro, o	Lamb
Cortar	Couper	Tagliare	Schneiden	Cortar	To cut
Corto/a	Court/e	Corto/a	Kurz	Curto/a	Short
Costa, la	Côte, la	Costa, la	Küste, die	Costa, a	Coast
Costar	Coûter	Costare	Kosten	Custar	To cost
Creer	Croire	Credere	Glauben	Crer, acreditar	To believe, to think
Cruzar	Traverser	Attraversare	Überqueren	Atravessar	To cross
Cuaderno, el	Cahier, le	Quaderno, il	Heft, das	Caderno, o	Notebook
Cuadro, el	Peinture, la ; Tableau, le	Quadro, il	Gemälde, das	Quadro, o	Picture
Cuarto, el	Chambre, la	Stanza, la	Zimmer, das	Quarto, o	Room
Cuerpo, el	Corps, le	Corpo, il	Körper, der	Corpo, o	Body
Cuidarse	Prendre soin de soi	Curarsi	Schonen, sich	Cuidar-se	To take care of oneself
Cumpleaños, el	Anniversaire, l'	Compleanno, il	Geburtstag, der	Aniversário, o	Birthday
Cuñado/a, el/la	Beau-frère, le/ Belle-sœur, la	Cognato/a, il/la	Schwager, der/ Schwägerin, die	Cunhado/a, o/a	Brother-in-law/ Sister-in-law
Dedo, el	Doigt, le	Dito, il	Finger, die/ Zehen, die	Dedo, o	Finger
Dejar	Prêter	Lasciare; prestare	Zulassen	Deixar; emprestar	To lend
Delgado/a	Mince	Magro/a	Leihen	Magro/a; fino/a o	Thin
Demasiado	Trop	Troppo	Dünn	Demasiado	Too, too much
Dependiente/a, el/la	Vendeur,le / Vendeuse, la	Commesso/a	Zu viel	Vendedor/a, o/a	Shop assistant
Deporte, el	Sport, le	Sport, lo	Verkäufer(in), der/die	Esporte, o	Sport
Desabrocharse	Déboutonner	Slacciare	Sport, der	Desabotoar	Unbutton
Desayunar	Prendre le petit-déjeuner	Fare colazione	Aufknöpfen	Tomar o café da manhã	To have breakfast
Descolgar	Décrocher	Staccare, sganciare	Frühstücken	Despendurar	To unhook
Descuento, el	Réduction, la	Sconto, lo	Abnehmen	Desconto, o	Discount
Desorganizado/a	Désorganisé/e	Disorganizzato/a	Rabatt, der	Desorganizado/a	Disorganised, untidy
Despejado/a	Clair/e	Limpido/a, sereno/a	Unordentlich	Desanuviado	Clear
Despertarse	Se réveiller	Svegliarsi	Wolkenlos	Acordar	To wake up
Desplazarse	Se déplacer	Spostarsi, muoversi	Aufwachen	Deslocar-se	To move about, to get around
Despreciar	Mépriser	Disprezzare	Umziehen	Desprezar	To disdain
Destino, el	Destin, le	Destino, il	Verachten	Destino, o	Destiny
Día, el	Jour, le	Giorno, il	Ziel, das	Dia, o	Day
Diccionario, el	Dictionnaire, le	Vocabolario, dizionario, il	Tag, der Wörterbuch	Dicionário, o	Dictionary
Dinero, el	Argent, l'	Soldi, i	Geld, das	Dinheiro, o	Money
Dirección, la	Adresse, l'	Indirizzo, l'	Adresse, die	Endereço, o	Address
Divertido/a	Drôle	Divertente	Spa	Divertido/a	Amusing, funny
Divertirse	S'amuser	Divertirsi	Spa haben	Divertir-se	To have fun
Doler	Faire mal	Fare male	Schmerzen	Doer	To ache, to hurt
Dormir	Dormir	Dormire	Schlafen	Dormir	To sleep
Dormitorio, el	Chambre à coucher, la	Stanza da letto, la	Schlafzimmer, das	Quarto de dormir, o	Bedroom
Ducha, la	Douche, la	Doccia, la	Dusche, die	Ducha, a	Shower
Ducharse	Se doucher	Fare la doccia	Duschen, sich	Tomar uma ducha	To have a shower
Dulces, los	Friandises, les	Dolci, i	Sü igkeiten, die	Doces, os	Sweets
Echar	Jeter, verser	Lanciare, tirare; buttare; versare	Rücken	Jogar	To throw, to pour

Español	Francés	Italiano	Alemán	Portugués	Inglés
Ecológico/a	Ecologique	Ecologico/a	Ökologisch	Ecológico	Ecologic
Economista, el/la	Economiste, l'	Economista, l'	Volkswirt(in), der/ die	Economista, o/a	Economist
Edad, la	Âge, l'	Età, l'	Alter, das	Idade	Age
Elegir	Choisir	Scegliere	Wählen	Escolher	To choose
Enamorado/a	Amoureux/euse	Innamorato/a	Verliebt	Apaixonado/a	In love
Encantado/a	Enchanté/e	Piacere	Angenehm	É um prazer	Pleased
Encantar	Aimer beaucoup, Adorer	Piacere da morire	Gefallen	Fascinar, maravilhar, seduzir	To like very much, to love
Encender	Allumer	Accendere	Anmachen	Ligar, acender	To light up
Encuentro, el	Rencontre, la	Incontro, l'	Treffen, das	Encontro, o	Meeting
Enfermedad, la	Maladie, la	Malattia, la	Krankheit, die	Doença, a	Illness
Enfermero/a, el/la	Infirmière, l'; Infirmier, l'	Infermiere/a, l'	Krankenschwester, die/ Krankenpfleger, der	Enfermeiro/a, o/a	Nurse
Enfermo/a, el/la	Malade, le/la	Malato/a, il/la	Kranke, der/die	Doente, o/a	Diseased, patient
Enfrente	En face	Di fronte	Gegenüber	Em frente	In front of
Ensalada, la	Salade, la	Insalata, l'	Salat, der	Salada, a	Salad
Entrada, la	Entrée, l'	Biglietto, il	Eintrittskarte, die	Entrada, a	Entrance
Entregar	Rendre	Consegnare, dare	Übergeben	Entregar	To deliver
Entrenar	Entraîner	Allenarsi	Trainieren	Treinar	To train
Entretenido/a	Amusant/e	Piacevole, divertente	Unterhaltsam	Divertido/a	Entertaining
Entrevista, la	Entretien, l'	Colloquio, il	Interview, das	Entrevista, a	Interview
Escribir	Écrire	Scrivere	Schreiben	Escrever	To write
Escritor/a, el/la	Écrivain, l'	Scrittore/ scrittrice, lo/ la	Autor(in), der/die	Escritor/a, o/a	Writer
Escritorio, el	Bureau, le	Scrivania, la	Schreibtisch, der	Escrivaninha, a	Desk
Espacioso/a	Spacieux/euse	Spazioso/a	Geräumig	Espaçoso/a	Roomy, spacious
Espalda, la	Dos, le	Schiena, la	Rücken, der	Costas, as	Back
Espejo, el	Miroir, le	Specchio, lo	Spiegel, der	Espelho, o	Mirror
Esperar	Attendre	Aspettare	Warten	Esperar	To wait
Esquina, la	angle, l', coin, le	Angolo, l'	Ecke, die	Esquina, a	Corner
Estación, la	Station, la	Stazione, la	Haltestelle, die	Estação, a	Station
Estantería, la	Étagère, l'	Mensola, la	Regal, das	Estante, a	Shelf
Estómago, el	Estomac, le	Stomaco, lo	Magen, das	Estômago, o	Stomach
Estudiante, el/la	Étudiant/e, l'	Studente/ studentessa, lo/la	Student(in), der/die	Estudante, o/a	Student
Estupendo/a	Formidable	Stupendo/a	Super	Estupendo, maravilhoso, admirável	Terrific
Etiqueta, la	Étiquette, l'	Etichetta, l'	Etikette, die	Etiqueta, a	Label
Exótico/a	Exotique	Esotico/a	Exotisch	Exótico/a	Exotic
Fábrica, la	Fabrique, la	Fabbrica, la	Fabrik, die	Fábrica, a	Factory
Falda, la	Jupe, la	Gonna, la	Rock, der	Saia, a	Skirt
Fatal	Fatal/e	Fatale	Schlecht	Péssimo/a	Fatal, disastrous
Festivo/a	Festif/ve	Festivo/a; allegro/a, gioioso/a	Festlich	Festivo/a	Festive, merry
Fiambre, el	Charcuterie	Rifreddo, il	Kalte Küche, die	Fríos, os	Food served cold
Fiebre, la	Fièvre, la	Febbre, la	Fieber, das	Febre, a	Fever
Fiestas, las	Fêtes, les	Feste, le	Fest, das	Festas, as	Festivity, parties
Filósofo/a, el/la	Philosophe, le, la	Filosofo/a, il/la	Philosoph(in), der/ die	Filósofo/a, o/a	Philosopher
Fresa, la	Fraise, la	Fragola, la	Erdbeer, die	Morango, o	Strawberry
Frigorífico, el	Réfrigérateur, le	Frigorifero, il	Kühlschrank, der	Geladeira, a	Fridge
Frío, el	Froid, le	Freddo, il	Kälte, die	Frio, o	Cold
Fruta, la	Fruit, le	Frutta, la	Frucht, die	Fruta, a	Fruit
Frutería, la	Marchand de fruits et légumes, le	Frutteria, la	Obst- und Gemüsehändler, der	Quitanda, a	Fruit store
Gafas, las	Lunettes, les	Occhiali, gli	Brille, die	Óculos, os	Glasses
Gamba, la	Crevette, la	Gamberetto, il	Garnele, die	Camarão, o	Shrimp
Ganar	Gagner	Vincere	Gewinnen	Ganhar	To win, to earn
Garganta, la	Gorge, la	Gola, la	Kehle, die	Garganta, a	Throat

Español	Francés	Italiano	Alemán	Portugués	Inglés
Gazpacho, el	Gaspacho, le	Gazpacho, il	Gazpacho, der	Gaspacho, o	Cold tomato soup
Girar	Tourner	Girare	Drehen	Virar	To turn
Goma, la	Gomme, la	Gomma, la	Radiergummi, das	Borracha, a	Rubber
Gordo/a	Gros/se	Grasso/a	Dick	Gordo/a; grosso/a)	Fat
Gracioso/a	Drôle	Grazioso/a, divertente	Lustig	Engraçado/a	Funny
Grande	Grand/e	Grande	Groß	Grande	Big
Guardar	Garder	Conservare	Aufbewahren	Guardar	To keep, to save
Habitación, la	Chambre, la	Stanza, la	Zimmer, das	Cômodos, os; quarto, o	Room
Hábito, el	Habitude, l'	Abitudine, l'	Gewohnheit, die	Hábito, o	Habit
Hablador/a	Bavard/e	Chiacchierone/a	Gesprächig	Pessoa faladeira; falante	Talkative
Hacia	Vers	Verso	Nach	Em direção a	Towards
Hambre, el	Faim, la	Fame, la	Hunger, der	Fome, a	Hunger
Hasta	Jusqu'à	Fino	Bis	Até	Until
Hermano/a, el/la	Frère, le/Sœur, la	Fratello/sorella, il/la	Bruder/Schwester, der/die	Irmão/irmã, o/a	Brother/sister
Hielo, el	Glace, la	Ghiaccio, il	Eis, das	Gêlo, o	Ice
Hijo/a, el/la	Fils, le/Fille, la	Figlio/a, il/la	Sohn/Tochter, der/die	Filho/a, o/a	Son/Daughter
Hipócrita	Hypocrite	Ipocrita	Heuchler(in), der/die	Hipócrita	Hypocrite
Hoja, la	Feuille, la	Foglio, il	Blatt, das	Folha, a	Sheet
Horario, el	Horaire, l'	Orario, l'	Stundenplan, der	Horário, o	Timetable, schedule
Horrible	Horrible	Orribile	Schrecklich	Horrível	Horrible
Hueso, el	Os, l'	Osso, l'	Knochen, der	Osso, o	Bone
Huevo, el	Œuf, l'	Uovo, l'	Ei, das	Ovo, o	Egg
Húmedo/a	Humide	Umido/a	Feucht	Úmido/a	Wet
Ida, la	Allée, l'	Andata, l'	Hinweg, der	Ida, a	Outward journey
Igual	Pareil/le	Uguale	Gleich	Igual	Same
Impersonal	Impersonnel/le	Impersonale	Unpersönlich	Impessoal	Impersonal
Importar	Importer	Importare	Wichtig sein	Ser importante	To care
Imprimir	Imprimer	Stampare	Drucken	Imprimir	To print
Inaugurar	Inaugurer	Inaugurare	Einweihen	Inaugurar	To inaugurate, to open
Incómodo/a	Inconfortable	Scomodo/a	Unbequem	Incômodo/al	Uncomfortable
Informático/a, el/la	Informaticien/ne, l'	Informatico/a, l'	Informatiker(in), der/die	Informático/a, o/a	IT engineer
Ingeniero/a, el/la	Ingénieur, l'	Ingegnere, l'	Ingenieur(in), der/die	Engenheiro/a, o/a	Engineer
Interesante	Intéressant/e	Interessante	Interessant	Interessante	Interesting
Introducir	Introduire	Introdurre	Einführen	Introduzir, colocar	To introduce, to insert
Invierno, el	Hiver, l'	Inverno, l'	Winter, der	Inverno, o	Winter
Invitar	Inviter	Invitare	Einladen	Convidar	To invite
Itinerario, el	Itinéraire, l'	Itinerario, l'	Route, die	Itinerário, o	Itinerary
Izquierda, la	Gauche, la	Sinistra, la	Links	Esquerda	Left
Jamón, el	Jambon, le	Prosciutto, il	Schinken, der	Presunto, o	Ham
Jersey, el	Pull-over, le	Maglione, il	Pullover, der	Suéter, o, pulôver, o	Jersey
Jubilado/a	Retraité/e	Pensionato/a	Pensioniert	Aposentado	Retired person
Juego, el	Jeux, le	Gioco, il	Spiel, das	Brincadeira, a	Game
Jugar	Jouer	Giocare	Spielen	Brincar	To play
Junto	À côté de	Vicino, adiacente	Nahe	Junto	Next to
Lácteo, el	Produit laitier, le	Latticinio, il	Milchprodukt, das	Lácteo	Dairy product
Lámpara, la	Lampe, la	Lampada, la	Lampe, die	Abajur, o, (araña, la)	Lamp
Largo/a	Long/ue	Lungo/a	Lang	Comprido/a, longo/a	Long
Lavabo, el	Lavabo, le	Lavandino, il	Waschbecken, das	Pia, a	Washbasin
Lavadora, la	Machine à laver, la	Lavatrice, la	Waschmaschine, die	Máquina de lavar roupa, a	Washing machine
Lavaplatos, el	Lave-vaisselle, le	Lavastoviglie, la	Spülmaschine, die	Máquina de lavar pratos, a	Dishwasher
Leche, la	Lait, la	Latte, il	Milch, die	Leite, o	Milk
Lechuga, la	Laitue, la	Insalata, l'	Kopfsalat, der	Alface, a	Lettuce
Legumbre, la	Légume sec, le	Legume, il	Hülsenfrucht, die	Legumes, os	Legume
Lento/a	Lent/e	Lento/a	Langsam	Lento/a, vagoroso/a	Slow

Español	Francés	Italiano	Alemán	Portugués	Inglés
Librería, la	Librairie, la	Librería, la	Buchhandlung, die	Livraria, a	Bookshop
Limpieza, la	Ménage, le	Pulizia, la	Reinigung, die	Limpeza, a	Cleaning
Liso/a	Plat/e	Liscio; piano	Glatt	Liso/a	Flat
Litera, la	Litière, la, Couchette, la	Letto a castello	Stockbett, das	Beliche, o	Bunkbed
Llevar	Porter	Indossare	Tragen	Pôr, usar, colocar	To wear
Llover	Pleuvoir	Piovere	Regnen	Chover	To rain
Lógico/a	Logique	Logico/a	Logisch	Lógico/a	Logic
Luchar	Lutter	Lottare	Kämpfen	Lutar	To fight
Luego	Après	Dopo	Danach	Depois	Afterwards
Luminoso/a	Lumineux/euse	Luminoso	Leuchtend	Luminoso	Bright
Madera, la	Bois, le	Legno, il	Holz, das	Madeira, a	Wood
Madre, la	Mère, la	Madre, la	Mutter, die	Mãe, a	Mother
Maíz, el	Maïs, le	Mais, il	Mais, der	Milho, o	Corn
Maleducado/a	Mal élevé/e	Maleducato/a	Unerzogen	Mal educado/a, sem educação	Unpolite
Maleta, la	Valise, la	Valigia, la	Koffer, der	Mala, a	Suitcase
Mañana, la	Matin, le	Mattina, la	Morgen, der	Manhã, a	Morning
Mandar	Commander	Mandare	Befehlen	Mandar	To order
Mano, la	Main, la	Mano, la	Hand, die	Mão, a	Hand
Manzana, la	Pomme, la	Mela, la	Apfel, der	Maçã, a	Apple
Mapa, el	Carte, la	Mappa, la	Landkarte, die	Mapa, o	Map
Marcar	Composer	Comporre	Wählen, eine Nummer wählen	Discar, "discar um número"	Press
Mareado/a	Avoir mal au cœur, Avoir la tête qui tourne	Che gli/le gira la testa	Schwindelig	Zonzo/a	Light-headed
Marido, el	Mari, le	Marito, il	Ehemann, der	Marido, o	Husband
Marisco, el	Fruit de mer, le	Frutti di mare, i	Meeresfrüchte, die	Marisco, o	Seafood
Mayoría, la	Majorité, la	Maggioranza, la	Mehrheit, die	Maioria, a	Majority
Mecánico/a, el/la	Mécanicien/ne, le/la	Meccanico, il	Mechaniker/Mechanikerin, der/die	Mecânico/a, o/a	Mechanic
Medianoche, la	Minuit	Mezzanotte, la	Mitternacht, die	Meia-noite, a	Midnight
Mediodía, el	Midi, le	Mezzogiorno, il	Mittag, der	Meio-dia, o	Midday
Mejillón, el	Moule, la	Cozza, la	Miesmuschel, die	Mexilhão, o	Mussel
Mensual	Mensuel/le	Mensile	Monatlich	Mensal	Monthly
Mercado, el	Marché, le	Mercato, il	Markt, der	Mercado, o	Market
Merendar	Goûter	Fare merenda	Vespern	Merendar, lanchar	To have a snack in the afternoon
Merluza, la	Merluche, la	Nasello, il	Seehecht, der	Merluza, a	Cod
Mesilla, la	Table de nuit, la	Tavolino, il	Nachttisch, der	Mesa-de-cabeceira, a, criado-mudo, o	Bedside table
Meter en	Introduire, Insérer	Mettere in	Hineinlegen	Introduzir, meter em	To introduce, to insert
Mochila, la	Sac à dos, le	Zaino, lo	Rucksack, der	Mochila, a	Backpack
Morcilla, la	Boudin, le	Sanguinaccio, il	Blutwurst, die	Morcela, a	Blood pudding
Moreno/a	Brun/e	Moro/a	Dunkelhaarig	Moreno/a	Dark-haired
Mujer, la	Femme, la	Moglie, la; donna, la	Frau, die	Mulher, a	Woman
Músico/a, el/la	Musicien, le/Musicienne, la	Musicista, il/la	Musiker(in), der/die	Músico, o/a	Musician
Nadar	Nager	Nuotare	Schwimmen	Nadar	To swim
Naranja, la	Orange, l'	Arancia, l'	Orange, die	Laranja, a	Orange
Nariz, la	Nez, le	Naso, il	Nase, die	Nariz, o	Nose
Nervioso/a	Nerveux/euse	Nervoso/a	Nervös	Nervoso/a	Nervous
Nevar	Neiger	Nevicare	Schneien	Nevar	To snow
Niebla, la	Brouillard, le	Nebbia, la	Nebel, der	Névoa, a	Mist, fog
Nieto/a, el/la	Petit-fils, le/ Petit-fille, la	Nipote, il/la	Enkel(in), der/die	Neto/a, o/a	Grandson/ Granddaughter
Noche, la	Nuit, la	Notte, la	Nacht, die	Noite, a	Night
Nocturno/a	Nocturne	Notturno/a	Nächtlich	Noturno/a	Nocturnal
Novio/a, el/la	Petit ami, le/Petite amie, la	Fidanzato/a, il/la	Fester Freund/feste Freundin, der/die	Noivo/a, o/a	Boyfriend/Girlfriend

Español	Francés	Italiano	Alemán	Portugués	Inglés
Nublado/a	Nuageux	Nuvoloso/a	Bewölkt	Nublado/a	Cloudy
Ocio, el	Loisir, le	Tempo libero, il	Freizeit, die	Lazer, o	Leisure
Ofrecer	Offrir	Offrire	Anbieten	Oferecer	To offer
Ojos, los	Yeux, les	Occhi, gli	Augen, die	Olhos, os	Eyes
Oler	Sentir	Annusare	Riechen	Cheirar	To smell
Olvidar	Oublier	Dimenticare	Vergessen	Esquecer	To forget
Olvido, el	Oubli, l'	Dimenticanza, la	Vergessen, das	Esquecimento, o	Forgetfulness
Opinar	Donner son avis	Opinare	Meinen	Opinar	To state an opinion
Orden, la	Ordre, l'	Ordine, l'	Auftrag, der	Ordem, a	Order
Ordenador, el	Ordinateur, l'	Computer, il	Computer, der	Computador, o	Computer
Orejas, las	Oreilles, les	Orecchie, le	Ohren, die	Orelhas, as	Ears
Orgulloso/a	Fier/Fière	Orgoglioso	Stolz	Orgulloso/a	Proud
Padre, el	Père, le	Padre, il	Vater, der	Pai, o	Father
Pálido/a	Pâle	Pallido/a	Blass	Pálido/a	Pale
Panadería, la	Boulangerie, la	Panificio, il	Bäckerei, die	Padaria, a	Bakery
Pantalón/es, el/los	Pantalon, le	Pantaloni, i	Hose, die	Calças, as	Trousers
Papelera, la	Poubelle, la	Cestino, il	Papierkorb, der	Cesta de papéis, a	Bin
Paraguas, el	Parapluie, le	Ombrello, l'	Regenschirm, der	Guarda-chuva, o	Umbrella
Parecer	Avis, l'	Parere, il	Scheinen	Parecer, o	Opinion
Partido, el	Match, le	Partita, la	Spiel/Wettkampf, das/der	Jogo, o	Match
Pastelería, la	Pâtisserie, la	Pasticceria, la	Konditorei, die	Confeitaria, a	Bakery, cake shop
Patata, la	Pomme de terre, la	Patata, la	Kartoffel, die	Batata, a	Potato
Patio, el	Cour, la	Cortile, il	Innenhof, der	Pátio, o	Patio
Pausa, la	Pause, la	Pausa, la	Pause, die	Pausa, a	Break
Pecho, el	Poitrine, la	Petto, il	Brust, die	Peito, o	Chest
Peinarse	Se peigner	Pettinarsi	Sich kämmen	Pentear-se	To comb
Pelar	Peler	Sbucciare	Schälen	Descascar	To peel
Película, la	Film, le	Film, il	Film, der	Filme, o	Film, movie
Peligroso/a	Dangereux/euse	Pericoloso/a	Gefährlich	Perigoso	Dangerous
Pelo, el	Cheveux, les	Capelli, i	Haar, das	Cabelo, o	Hair
Peluquería, la	Coiffeur, le	Salone da parrucchiere, il	Frisörsalon, der	Cabelereiro, o	Hairdresser's
Pequeño/a	Petit/e	Piccolo/a	Klein	Pequeno	Small
Pera, la	Poire, la	Pera, la	Birne, die	Pêra, a	Pear
Perfumería, la	Parfumerie, la	Profumeria, la	Parfümerie, die	Perfumaria, a	Perfume shop
Periferia, la	Périphérie, la	Periferia, la	Peripherie, die	Periferia, a	Outskirts
Periódico, el	Journal, le	Giornale, il	Tageszeitung, die	Jornal, o	Newspaper
Persiana, la	Persienne, la	Persiana, la	Rolladen, der	Persiana, a	Blind, shutter
Pescadería, la	Poissonnerie	Pescheria, la	Fischgeschäft, das	Peixaria, a	Fishmonger's
Pescado, el	Poisson, le	Pesce, il	Fisch, der	Peixe, o	Fish
Pie, el	Pied, le	Piede, il	Fuß, der	Pé, o	Foot
Pierna, la	Jambe, la	Gamba, la	Bein, das	Perna, a	Leg
Pijama, el	Pyjama, le	Pigiama, il	Schlafanzug, der	Pijama, o	Pyjamas
Pimiento, el	Poivron, le	Peperone, il	Paprika, die	Pimentão, o	Pepper
Pintor/a, el/la	Peintre, le/la	Pittore/pittrice, il/la	Maler/Malerin, der/die	Pintor/a, o/a	Painter
Piscina, la	Piscine, la	Piscina, la	Schwimmbecken, das	Piscina, a	Swimming pool
Plan, el	Plan, le	Piano, il	Plan, der	Plano, o	Plan
Plano, el	Plan, le	Piano, il	Stadtplan, der	Mapa, o	Map
Planta, la	Plante, la	Pianta, la	Pflanze, die	Planta, a	Plant
Plaza, la	Place, la	Piazza, la	Platz, der	Praça, a	Square
Poder	Pouvoir	Potere, il	Macht, die	Poder	To be able to
Postre, el	Dessert, le	Dessert, il	Nachtisch, der	Sobremesa, a	Dessert
Práctico/a	Pratique	Pratico/a	Praktisch	Prático	Practical
Prenda de vestir, la	Vêtement, le	Capo di abbigliamento, il	Kleidungsstück, das	Peça de roupa, a	Garment, clothes
Prensa, la	Presse, la	Stampa, la	Presse, die	Imprensa, a	Press
Preocupado/a	Inquiet/ète	Preoccupato/a	Besorgt	Preocupado/a	Worried

Español	Francés	Italiano	Alemán	Portugués	Inglés
Primo/a, el/la	Cousin/ne	Cugino/a, il/la	Cousin(e), der/die	Primo/a, o/a	Cousin
Probador, el	Cabine d'essayage	Camerino, spogliatoio, il	Anprobe, die	Provador, o	Changing room
Probar	Essayer	Provare	Probieren	Experimentar	To try
Probarse	Essayer	Provarsi	Anprobieren	Experimentar, provar	To try on
Profesor/a, el/la	Professeur, le/la	Insegnante, l'; professore/professoressa, il/la	Lehrer/Lehrerin, der/die	Professor/a, o/a	Teacher
Puente, el	Pont, le	Ponte, il	Brücke, die	Ponte, a	Bridge
Puerta, la	Porte, la	Porta, la	Tür, die	Porta, a	Door
Pulsar	Appuyer sur	Premere	Drücken	Apertar, tocar	To press
Puntual	Ponctuel/elle	Puntuale	Pünktlich	Pontual	Punctual
Quedar	1. Rencontrer. 2. Rester.	1. Darsi appuntamento. 2. Rimanere, restare	1. Verabreden. 2. Bleiben	1. Marcar encontro. 2. Sobrar, restar	1. To meet. 2. To remain.
Quedar bien/mal	Faire une bonne/mauvaise impression	Stare bene/male	Gut/schlecht stehen	Ficar ou cair bem/mal (expressão)	To make a good/bad impression
Quejarse	Se plaindre	Lamentarsi	Sich beschweren	Reclamar	To complain
Queso, el	Fromage, le	Formaggio, il	Käse, der	Queijo, o	Cheese
Quiosco, el	Kiosque, le	Edicola, l'	Kiosk, der	Banca, a (de jornal)	Kiosk
Rápido/a	Rapide	Veloce	Schnell	Rápido	Fast
Rato, el	Moment, le	Spazio di tempo, lo	Weile, die	Momento, o	Short time, while
Ratón, el	Souris, la	Mouse, il	Maus, die	Mouse, o	Mouse
Razón, la	Raison, la	Ragione, la	Grund, der	Razão, a	Reason
Rechazar	Refuser	Rifiutare	Ablehnen	Rechaçar, rejeitar	To reject
Recomendación, la	Recommandation, la	Raccomandazione, la	Empfehlung, die	Recomendação, a; conselho, o	Recommendation
Recomendar	Recommander	Raccomandare		Recomendar, aconselhar	To recommend
Recto/a	Droit/e	Diritto/a	Gerade	Reto	Straight
Regar	Arroser	Annaffiare	Gießen	Regar	To water
Región, la	Région, la	Regione, la	Region, die	Região, a	Region
Relajado/a	Détendu/e	Rilassato/a	Entspannt	Relaxado/a	Relaxed
Reloj, el	Montre, la	Orologio, l'	Uhr, die	Relógio, o	Watch
Repollo, el	Chou, le	Cavolo cappuccio	Weißkohl, der	Repolho, o	Cabbage
Retirar	Retirer, prendre	Ritirare	Weglegen	Afastar	To remove, to take away
Reunión, la	Réunion, la	Riunione, la	Treffen, das	Reunião, a	Meeting
Revista, la	Magazine, la	Rivista, la	Zeitschrift, die	Revista, a	Magazine
Rodilla, la	Genou, le	Ginocchio, il	Knie, das	Joelho, o	Knee
Ruidoso/a	Bruyant/e	Rumoroso/a	Lärmend	Barulhento/a	Noisy
Sabroso/a	Savoureux/euse	Saporito/a	Schmackhaft	Saboroso/a	Tasty
Sal, la	Sel, le	Sale, il	Salz, das	Sal, o	Salt
Sandalias, las	Sandales, les	Sandali, i	Sandalen, die	Sandálias, as	Sandals
Sangre, la	Sang, le	Sangue, il	Blut, das	Sangue, o	Blood
Sangría, la	Sangria	Sangria, la	Sangria, die	Sangria, a	Sangría (drink made with red wine, lemon and orange juice and fruits)
Sardina, la	Sardine, la	Sardina, la	Sardine, die	Sardinha, a	Sardine
Seco/a	Sec/Sèche	Secco/a; asciutto/a	Trocken	Seco/a	Dry
Sed, la	Soif, la	Sete, la	Durst, der	Sede, a	Thirst
Seguro/a	Sûr/sure	Sicuro/a	Sicher	Seguro/a	Sure
Sencillo/a	Simple	Semplice	Schlicht	Simples, singelo/a	Simple
Serio/a	Sérieux/euse	Serio/a	Ernst	Sério/a	Serious
Siesta, la	Sieste, la	Siesta, la	Mittagsschlaf, der	Sesta, a	Nap
Simpático/a	Sympathique	Simpatico/a	Sympathisch	Simpático/a	Friendly
Sincero	Sincère	Sincero/a	Ehrlich	Sincero/a	Sincere
Sitio, el	Lieu, le	Posto, il	Ort, der	Lugar, o	Place
Sobrino/a, el/la	Neveu, le/Nièce, la	Nipote, il/la	Neffe/Nichte, der/die	Sobrinho/a, o/a	Nephew/Niece
Sociable	Sociable	Socievole	Gesellig	Sociável	Sociable
Solidario/a	Solidaire	Solidale	Solidarisch	Solidário/a	Supportive

Español	Francés	Italiano	Alemán	Portugués	Inglés
Sopa, la	Soupe, la	Zuppa, la	Suppe, die	Sopa, a	Soup
Soso/a	Insipide	Insipido/a, scipito/a	Fad	Insosso	Flavourless
Suave	Doux/ce	Morbido	Weich	Suave	Soft
Suegro/a, el/la	Beau-père, le/ Belle-mère, la	Suocero/a, il/la	Schwiegervater/Schwiegermutter, der/die	Sogro/a, o/a	Father-in-law/ Mother-in-law
Suelo, el	Sol, le	Pavimento, il	Boden, der	Chão, o	Floor
Sueño, el	Sommeil, le	Sonno, il	Müdigkeit, die	Sono, o	Sleepiness
Suerte, la	Chance, la	Fortuna, la	Glück, das	Sorte, a	Luck
Sugerir	Suggérer	Suggerire	Vorschlagen	Sugerir	To suggest
Talla, la	Taille, la	Taglia, la	Größe, die	Manequim, o	Size
Taquilla, la	Guichet, le	Biglietteria, la	Schalter, der	Bilheteria, a	Box office
Tarjeta, la	Carte, la	Biglietto da visita	Visitenkarte, die	Cartão de visita, o	Business card
Tarta, la	Gâteau, le	Torta, la	Kuchen, der	Bolo, o	Cake
Teclado, el	Clavier, le	Tastiera, la	Tastatur, die	Teclado, o	Keyboard
Teclear	Taper, Pianoter	Battere i tasti	Tippen	Digitar	To type
Tema, el	Sujet, le	Argomento, l'	Thema, das	Tema, o	Subject
Tienda	Magasin, le	Negozio, il	Laden, der	Loja, a	Shop
Tío/a, el/la	Oncle, l'/Tante, la	Zio/a, lo/la	Onkel/Tante, der/die	Tio/a, o/a	Uncle/Aunt
Tirar	Jeter	Buttare	Wegwerfen	Jogar	To throw
Toalla, la	Serviette, la	Asciugamano, l'	Handtuch, das	Toalha, a	Towel
Tomar	Prendre	Prendere	Nehmen	Pegar, comer ou beber	To take/To have food or drink
Tonto/a	Bête	Scemo/a	Dumm	Idiota, tonto/a	Silly
Tópico, el	Matière, la	Luogo comune, il	Klischee, das	Tópico, o	Topic
Tormenta, la	Orage, l'	Tempesta, temporale la/il	Gewitter, das	Tormenta, a	Storm
Tranquilo/a	Calme	Tranquillo/a	Ruhig	Tranqüilo/a	Calm
Vago/a	Paresseux/euse	Pigro/a	Faul	Preguiçoso/a	Lazy
Valer	Valoir	Costare	kosten	Custar	To cost
Vaqueros, los	Jeans, les	Jeans, i	Jeans, die	Calça Jeans, a	Jeans
Venir	Venir	Venire	kommen	Vir	To come
Ventanilla, la	Guichet, le	Sportello, lo	Schalter, der	Guichê, o	Ticket window
Verdura, la	Légume, le	Verdura, la	Gemüse, das	Verdura, a	Vegetable
Vestido, el	Robe, la	Abito, l'	Kleid, das	Vestido, o	Dress
Viento, el	Vent, le	Vento, il	Wind, der	Vento, o	Wind
Vinagre, el	Vinaigre, le	Aceto, l'	Essig, der	Vinagre, o	Vinegar
Violento/a	Violent/e	Violento/a	gewalttätig	Violento/a	Violent
Volver	Retourner, Revenir	Tornare	Zurückkehren	Voltar, regressar	To go/come back
Zona, la	Zone, la	Zona, la	Zone, die	Zona, a; região, a	Area
Zumo, el	Jus, le	Spremuta, la; succo, il	Saft, der	Suco, o	Juice